Para

com votos de paz.

DIVALDO FRANCO
POR DIVERSOS ESPÍRITOS

DEPOIS DA VIDA

Salvador
9. ed. – 2024

COPYRIGHT © (1984)
CENTRO ESPÍRITA CAMINHO DA REDENÇÃO
Rua Jayme Vieira Lima, 104
Pau da Lima, Salvador, BA.
CEP 412350-000
SITE: https://mansaodocaminho.com.br
EDIÇÃO: 9. ed. (1ª reimpressão) – 2024
TIRAGEM: 1.000 exemplares (milheiro 39.000)
COORDENAÇÃO EDITORIAL
Lívia Maria C. Sousa

REVISÃO
Adriano Ferreira · Luciano Urpia
CAPA
Cláudio Urpia
MONTAGEM DE CAPA
Ailton Bosco
EDITORAÇÃO ELETRÔNICA
Ailton Bosco
COEDIÇÃO E PUBLICAÇÃO
Instituto Beneficente Boa Nova

PRODUÇÃO GRÁFICA
LIVRARIA ESPÍRITA ALVORADA EDITORA – LEAL
E-mail: editora.leal@cecr.com.br

DISTRIBUIÇÃO
INSTITUTO BENEFICENTE BOA NOVA
Av. Porto Ferreira, 1031, Parque Iracema. CEP 15809-020
Catanduva-SP.
Contatos: (17) 3531-4444 | (17) 99777-7413 (WhatsApp)
E-mail: boanova@boanova.net
Vendas on-line: https://www.livrarialeal.com.br

Dados Internacionais de Catalogação na Publicação (CIP)
(Catalogação na fonte)
BIBLIOTECA JOANNA DE ÂNGELIS

F825 FRANCO, Divaldo Pereira. (1927)

   Depois da vida. 9. ed. / Pelo Espírito Joanna de Ângelis [psicografado por] Divaldo Pereira Franco, Salvador: LEAL, 2024.
   192 p.
   ISBN: 978-85-8266-130-7

   1. Espiritismo 2. Psicografia 3. Além-túmulo
   I. Franco, Divaldo II. Título

CDD: 133.93

Bibliotecária responsável: Maria Suely de Castro Martins – CRB-5/509

DIREITOS RESERVADOS: todos os direitos de reprodução, cópia, comunicação ao público e exploração econômica desta obra estão reservados, única e exclusivamente, para o Centro Espírita Caminho da Redenção. Proibida a sua reprodução parcial ou total, por qualquer meio, sem expressa autorização, nos termos da Lei 9.610/98.
Impresso no Brasil | Presita en Brazilo

SUMÁRIO

Depois da Vida – *Joanna de Ângelis* — 7
Dentro da Vida – *Tio Juca – Francisco C. Xavier* — 11
Explicação – *Nilson de Souza Pereira* — 13
A alma após a morte — 15
Palavras de estímulo — 17

PRIMEIRA PARTE

Espíritos em sofrimento — 21
1. Depressão inditosa – *Gerson Almeida* — 23
2. Ambição desvairada – *Armando Bevilácqua* — 27
3. Crimes desvelados – *Armando Ramos da Silva* — 31
4. Cultura e fracasso – *Egberto Monteiro* — 37
5. Culpa e reabilitação – *M.* — 43
6. O drama de um alcoólatra – *M.* — 49
7. Hibernação desditosa — 53
8. Crime de eutanásia — 57
9. Vingança e loucura — 63
10. Justiça arbitrária — 67

SEGUNDA PARTE

Espíritos em recuperação — 71
1. A tragédia do vício – *Melquisedec A. dos Santos* — 73
2. O cultor do nada — 79
3. O obsessor – *Antônio Viana* — 89
4. Depoimento — 99

5.	Notícias do Além – *Francisco Ângelo de Souza*	103
6.	O triângulo amoroso – *Margot de Montegui*	107
7.	Idealismo e realidade – *Anselmo da Luz*	113
8.	Fuga desastrosa – *Amílcar Rodrigues Passos*	117
9.	Amarga aventura – *Teobaldo Ferreira*	123
10.	Urdiduras da inveja	129

TERCEIRA PARTE

	Espíritos felizes	135
1.	Reencarnação e resgate – *Marina da Conceição*	137
2.	Tormentos ocultos – *Albertina Gutierrez*	141
3.	Experiência vitoriosa – *Abel Mendonça*	147
4.	Momento de ação – *Pe. Manuel da N. de Maria*	153
5.	Retorno feliz – *Leonor Ribas*	157
6.	Provações abençoadas – *Antônio Tourinho*	163
7.	Mediunidade Espírita – *Severo dos Anjos*	167
8.	Fé renovada – *Minervina de A. Moura*	175
9.	O futuro do Espiritismo – *Abílio da Silva Lima*	181
10.	Misericódia e Reencarnação – *Angelina de A. dos Santos*	187

Depois da Vida

É o mundo físico um reflexo incompleto do Mundo espiritual, em razão de ser aquele o causal e este, o seu efeito mais imediato.

Assim sendo, a vida não se restringe à *realidade* material, sendo esta a consequência das conquistas logradas pelo Espírito durante as experiências evolutivas no cadinho das reencarnações.

Terminada a etapa carnal, o Espírito retorna ao reduto das atividades perenes, donde partiu, na condição de nauta em viagem programada.

Conforme a conduta mantida durante a excursão educativa, assim volverá, padecendo as penosas injunções ou com a felicidade das conquistas realizadas.

A morte não opera qualquer milagre em aprendiz algum.

Morrer é somente desvestir a roupagem biológica, permanecendo o indivíduo, intrinsecamente, o mesmo.

Como, porém, a misericórdia do Senhor luz em socorro de todos, jamais faltam a inspiração e o amparo, a benevolência e a caridade em favor dos que fracassaram, tanto quanto as alegrias e bênçãos para aqueles que lutaram e venceram...

Sempre é tempo de crescer e edificar, construindo o bem e desenvolvendo os valores de enobrecimento porque o progresso jamais cessa.

Para a elaboração da presente obra, convidamos trinta e um amigos que atravessaram a fronteira do corpo e despertaram depois da vida física, para que trouxessem as suas experiências aos companheiros da retaguarda carnal, ratificando as admiráveis narrações que se encontram no livro *O Céu e o Inferno*, coligidas por Allan Kardec e que, pelo venerando codificador do Espiritismo, foram sabiamente comentadas.

Dividimos em três partes os relatos psicofônicos, que foram, posteriormente, trasladados para o papel, recebendo algumas dessas comunicações, oportunos e breves comentários do compilador, em notas de rodapé, para facilitar a compreensão dos leitores e completar algumas informações.

Reunimos, na primeira parte, as narrativas dos Espíritos em sofrimento, que se referem, eles próprios, às causas anteriores das suas aflições; na segunda parte, coligimos as comunicações dos Espíritos em recuperação, aqueles que, conscientizados do próprio estado de perturbação e padecimento, tornaram-se dóceis às orientações dos mentores e foram recolhidos para assistência especializada; e, por fim, na terceira parte, apresentamos os relatos dos Espíritos felizes, que nos conclamam ao trabalho reto e aos deveres elevados.

Os espíritas, muito bem-informados pela Doutrina nas suas fontes inexauríveis da Codificação, bem como nas obras que lhe são complementares, conhecem, à saciedade, tais ocorrências, especialmente aqueles que participam das sessões especializadas, que dizem respeito à educação mediúnica ou à desobsessão.

Nenhuma novidade, portanto, neste modesto contributo. Todavia, àqueles que não privam das reuniões espíritas e não travaram um contato mais direto e profundo com o Espiritismo, mas interrogam a respeito do que ocorre depois da vida, quando advém a morte física, dedicamos o presente trabalho.

Como variam ao infinito as condições morais, psíquicas e espirituais dos homens, cada qual, ao desencarnar, mediante a Lei das Afinidades se vinculará com os seus semelhantes e despertará com os recursos graças aos quais adormeceu...

Aqui desfilam apenas trinta e uma experiências evolutivas, que podem ser úteis à meditação das pessoas honestamente interessadas pelas ocorrências depois da desencarnação e que ainda estão desinformadas.[1]

Agradecendo a Jesus, o Triunfador da morte, suplicamos-Lhe que a todos nos abençoe, auxiliando-nos no desempenho das tarefas que nos cumpre atender a benefício da nossa própria iluminação.

Salvador, 11 de julho de 1984.
Joanna de Ângelis

---

1. Utilizamo-nos de *O Livro dos Espíritos*, de Allan Kardec – 29ª edição da FEB (nota da autora espiritual).

Tio Juca é o pseudônimo pelo qual ficou sendo conhecido o Sr. José Soares de Gouvêa, que nasceu em Fortaleza (CE), no dia 28 de maio de 1898 e desencarnou em Salvador, no dia 4 de março de 1965.

Homem dotado de extraordinárias faculdades mediúnicas, criou e manteve por largos anos, na cidade do Salvador, um lar para crianças, que foi denominado "Casa do Tio Juca".

Ao lado da esposa, D. Totonha, e outros amigos, deixou ele uma *Obra de Amor* das mais significativas, em favor do menor carente.

Espírita, veio trazido à doutrina pelo filhinho desencarnado, que lhe pediu fosse substituído por aqueles que não tinham pais.

Sua viúva e seu filho, José Augusto Gaspar de Gouvêa, continuam residindo em Salvador.

(Página psicografada pelo médium Francisco C. Xavier, na sessão da noite de 28.07.1984, no Grupo Espírita da Prece, em Uberaba, MG.)

Explicação

Mourejando no labor mediúnico, desenvolvido no Centro Espírita Caminho da Redenção, desta cidade, duas vezes por semana, na condição de médium doutrinador, fomos convidados pela mentora Joanna de Ângelis a adicionar ligeiros esclarecimentos no rodapé de algumas das mensagens que compõem o presente volume.

Tendo em vista a situação de diversas das Entidades que vieram apresentar o seu depoimento para a elaboração deste livro, ainda por sugestão da abnegada instrutora, foram supressos alguns nomes que levassem à desnecessária identificação dos Espíritos; noutras vezes, recorremos à colocação de pseudônimos, por motivos compreensíveis.

Como se observará, a segunda mensagem da segunda parte desta obra faz-se acompanhar do diálogo mantido por nós com o comunicante, de modo a facilitar à pessoa que desconhece o labor da doutrinação mediúnica, ter uma ideia de como este trabalho ocorre.

Outrossim, na terceira mensagem dessa mesma parte, adentramo-nos em considerações mais extensas, por tratar-se de questão pertinente à desobsessão, o que produziu a mudança de comportamento do Espírito inimigo do paciente que, então, se recuperou.

Gostaríamos de consignar que, em cada psicofonia, podiam-se registrar as alterações produzidas pelos Espíritos no médium, transfigurando-o, por vezes, e alterando-lhe completamente a voz, a gesticulação, a aparência...

Desejamos agradecer ao confrade Alamiro Galvão de Santana que retirou do gravador todos os ditados mediúnicos que constituem o presente livro.

O leitor experiente e observador concluirá pela oportunidade e valor deste trabalho, que vem, em momento grave, qual o em que vivemos, enriquecer a bibliografia mediúnica e espírita.

Dando por cumprido o dever que assumimos espontaneamente, agradecemos a Jesus pela oportunidade, anelando para que estas mensagens despertem os que dormem, consolem os que choram e advirtam os que se encontram descuidados a respeito dos seus compromissos espirituais.

Salvador, 11 de julho de 1984.
Nilson de Souza Pereira

A ALMA APÓS A MORTE

149. Que sucede à alma no instante da morte?

Volta a ser Espírito, isto é, volve ao mundo dos Espíritos, donde se apartara momentaneamente.

O Livro dos Espíritos, de Allan Kardec.

Palavras de estímulo

Meus irmãos:
Paz seja convosco!
A vida são as experiências que coletamos em nosso processo de evolução.

Entramos numa existência corporal e dela saímos sob a injunção das conquistas que nos oferecem o recurso para progredir mediante os estímulos do sofrimento ou por meio das realizações nobilitantes.

Desafio de que ninguém se pode eximir, a experiência corporal significa impulso de crescimento, na universidade terrestre, com vistas à libertação de nós mesmos.

A Religião, em consequência, é uma metodologia por meio da qual adquirimos melhor visão de Deus, aprendendo a fixar as diretrizes superiores do comportamento, conforme exaradas no Evangelho de Nosso Senhor Jesus Cristo.

No passado remoto, na intimidade das cavernas, cultuando o fogo e atemorizados ante as *forças desorganizadas* da Natureza, compreendíamos que Deus nos dominava pelo terror.

Mais tarde, sob a inspiração das Entidades espirituais, abandonamos o temor absoluto e aprendemos, com o totemismo, a forma de agradar a Divindade, personificada nos numes tutelares, que nos afligiam ou nos ofereciam recursos para enriquecimento da alma.

Até alcançarmos os santuários, nas Doutrinas secretas, a nossa jornada foi larga.

Superamos as formas e encontramos Moisés. O Deus Único arrebatou-nos por momentos, e, quando Jesus nos ofereceu o Amor como estrada de libertação, exultamos, para, logo depois, fascinados pelos ouropéis que Ele desprezou, nos adentrarmos nas excogitações materiais, levantando altares, estabelecendo dogmas e crivando a própria alma com sofrimentos para mais tarde.

Quando Lutero deu o grande passo de libertação, em vez de entendermos a clarinada de luz que nos chegava de Mais-alto, desencadeamos perseguições e fizemos que a Terra se juncasse de cadáveres. Por outro lado, não ficamos indenes às reações da vingança, onde quer que estivessem os filhos do romanismo.

Quando o Senhor nos ofereceu a Revelação Espírita, em vez de nos deixarmos impregnar pelas bênçãos que nos chegavam da Vida transcendente, levantamo-nos para combater com todas as armas o que vai de encontro aos nossos interesses mesquinhos.

É que a verdade, meus amigos, encontra no homem os obstáculos que este levantou a fim de poder ignorá-la. Acreditando-se dominá-la integralmente, ergue-se como seu defensor e toda vez que ganha a batalha em seu nome, eis que a verdade perde, mas quando este não triunfa na batalha em nome da verdade, ei-la que triunfa.

Assim me refiro, porque, igualmente, empenhei a palavra contra os postulados que abraçais e que hoje, consciente e liberto da grilheta do corpo somático, fascina-me, levando-me a suplicar ao Senhor de todos nós conceder-me a felicidade, que reconheço não merecer, de tornar à Terra, exercendo a mediunidade anônima, a serviço das *vozes do bem*.

Quem vos fala é J. C. C.[2], que militou nas hostes do Catolicismo, no Rio de Janeiro, não há muito, sem compreender que o Cristo, vivo e soberano, não é patrimônio de denominações religiosas, nem se submete às humanas paixões.

Inúmeras vezes, por meio do programa radiofônico "A...",[3] invectivei contra este ideal que liberta consciências, e promovi, na minha suprema ignorância, campanha contra vós, esquecido ou anestesiado de que o Cristo a Quem eu dizia amar não passara indene à sanha farisaica nem às objurgatórias dos que se acreditavam detentores da verdade.

Aqui estou para dizer-vos que a dor é a companheira dos idealistas verdadeiros. Quando aplaudidos e reverenciados, eis que já não estão com o Cristo e sim com o mundo. O mundo lhes doa o aplauso da ilusão, no qual se engolfam e sucumbem. Mas, quando padecem sob os pés jornaleiros o cardo ferinte e sobre a cabeça as chuvas de fel e amargura, as pedradas da injustiça e da crueldade, ei-los que estão com Jesus, considerando que Jesus sempre está com todos nós.

Tende, portanto, bom ânimo, vós que mourejais na seara do auxílio que liberta por meio da caridade que ama.

Notas do compilador:
2. Por motivos óbvios foram supressos os nomes.
3. Idem.

Porfiai, até a exaustão, vós que conheceis o travo da esponja vinagrosa por amor d'Aquele que preferiu a cruz ao sólio enganoso do Tetrarca de Jerusalém.

Confiai sem qualquer reserva que Jesus tem conhecimento das vossas lutas, das dores silenciosas que vos maceram e das angústias que provais em nome do Seu nome.

Não vos abatam as blasfêmias, nem as acusações indébitas, nem as perseguições gratuitas ou mesmo justificadas que sejam.

Quem encontrou Jesus é caminhante solitário das noites indormidas, carregando condecorações invisíveis que cicatrizam na alma e que somente Ele identifica.

A doutrina que abraçais é a estrela da Nova Era, o Sol do novo mundo que emergirá deste mundo em desagregação, no momento da grande mudança.

Sois felizes, porque podeis compreendê-lO desde hoje.

Perdoai, sim, a quantos vos não compreendem, conforme Ele a nós todos nos tem perdoado.

Compreendei aos que vos antagonizam com a mesma suavidade e sabedoria com que Ele entendeu quantos Lhe criavam armadilhas em vãs tentativas de precipitá-lO nos abismos.

Um dia, irmãos espiritistas, que não está longe, além das dimensões limitadas da vida orgânica, em novo mundo, ao amanhecer de eterna primavera, bendireis o sarçal, a noite sem estrelas e as lágrimas que vos pungem interiormente.

Quando ouvirdes a voz soberana e doce do Divino Pastor, Este dirá: – Vinde a mim vós que, em meu nome, suportastes tribulações e dores! Entrai no Reino que erigistes sob a minha carinhosa bênção!

Primeira Parte

Espíritos em sofrimento

970. *Em que consistem os sofrimentos dos Espíritos inferiores?*

"São tão variados como as causas que os determinam, e proporcionados ao grau de inferioridade, como os gozos o são ao de superioridade. Podem resumir-se assim: invejarem o que lhes falta para ser felizes e não obterem; verem a felicidade e não na poderem alcançar; pesar, ciúme, raiva, desespero, motivados pelo que os impede de ser ditosos; remorsos, ansiedade moral indefinível. Desejam todos os gozos e não os podem satisfazer: eis o que os tortura."

O Livro dos Espíritos, Allan Kardec.

1

Depressão inditosa

Deus abandonou-me! Eu sou desventurado! Algo ou alguém que me apoie e compreenda a minha dor profunda, bem como as razões que me têm retido neste sofrimento sem limite.

Eu sei que já se rompeu o fio que me sustentava o corpo material. Mas, vitimado por esta depressão que trago da carne, sou um pária entre as sombras, sem receber a comiseração de ninguém.

Sinto necessidade da piedade alheia, para poder saber que o amor luz no meu caminho.

Compreendo e percebo que este sofrimento não se vai acabar nunca, porquanto eu tenho consciência do que se passa comigo.

Todas as vozes que me alcançam, dizem-me que reaja, e que reaja.

Ninguém, que não experimente um sofrimento desta natureza, pode aquilatar a profundidade da aflição que descarta qualquer possibilidade de o enfermo libertar-se da situação indesejada.

Tive ocasião de ouvir dizerem-me que se tratava de um crime perpetrado na outra vida, antes do corpo que eu deixei, a causa da enfermidade, mas que tudo ia depender de mim. Em verdade, eu luto muito, eu me esforço além de qualquer possibilidade, mas a depressão esmaga-me.

O meu corpo não ficou na sepultura para se desintegrar; está comigo.

Eu vejo que não mudei, radicalmente, em nada; pelo contrário: eu somo às novas sensações aquela angústia que me desencantava, os fenômenos fisiológicos que me aturdem, levando-me ao desmaio muitas vezes. É uma situação penosa, mas da qual ninguém se compadece.

Será que isso é viver?

Acusam-me de suicídio indireto, porque eu não lutei para sair deste processo. Em verdade, eu lutei e ainda luto.

Estou condenado a um lugar ermo, em que, solitário, vejo-me cada dia mais despedaçado pela falta de forças. A minha situação é muito mais penosa que a do calceta desgraçado que se arrojou num precipício, esmigalhando o cérebro e acabando com a razão. Este é, no entanto, um raciocínio louco, porque também não tenho mais cérebro, ou terei desvairado a tal ponto, nesta minha atitude depressiva, que os contornos da vida desapareceram de uma vez? Será que não me adveio a morte e eu estou na minha casa, no lugar de sempre, com a janela fechada porque a luz me faz um grande mal?

A comunicação com os outros me é muito desagradável, todavia, eu preciso e requeiro ajuda. Estou profundamente desventurado!

Deus abandonou-me, como abandona todos aqueles que são deprimidos. Nós, os deprimidos, necessitamos da misericórdia de Deus de uma forma mais veemente.

Afirmaram-me que eu morri e precisava sair desta situação, para poder reencontrar-me comigo mesmo.

Passaram-se já vários anos, foi o que me afirmaram; entretanto, para mim não se passou um dia, que é uma noite contínua, num esvaecimento que me fez cair sem me chocar com o fundo do abismo...

Eu sou um infeliz, profundamente infeliz, infinitamente infeliz!

Não tenho lar, nem família; todos me abandonaram; disseram-se cansados. E eu, por acaso não estou cansado?!

Sinto dores, sinto náuseas, a cabeça é-me uma fornalha e eu não tenho mais forças.

Deus abandonou-me! Alguém tenha piedade. Eu preciso de alguém que me tome das mãos e me arranque estas algemas.

Há, sim, um inferno! Eu estou num inferno de gelo; não se trata do fogaréu teológico.

Suicida indireto que sou, submeto-me a morrer e nego-me a viver. Não suporto mais a dor.

Que desabe sobre mim o aniquilamento, para que se me apague o raciocínio!

Gerson Almeida

Nota do compilador:
Graças à fixação autopiedosa, o enfermo espiritual, apesar de assistido pelos mentores, prosseguiu em sofrimento. Fechado em si mesmo, não deixava alternativa outra para socorrê-lo. Sendo um Espírito em prova, cuja matriz procedia de crime oculto, praticado em encarnação anterior, conforme afirmou, não se libertou, durante a vida física, do "complexo de culpa" que degenerou na psicose depressiva, que ainda o aflige.
Merece anotar o sofrimento que o médium demonstrava na face, na voz, nas contorções que o tomaram durante o fenômeno psicofônico.

2

Ambição desvairada

Sofro, física e moralmente, as dores que a imaginação não pode conceber.
Vi o meu corpo decompondo-se antes de chegar a morte, e, apesar de morto, estas dores perseguem-me sem cessar, com as mesmas características, adicionadas às terríveis angústias morais que me dilaceram, sem um momento de repouso.

O dinheiro arruinou-me!

Pecuarista próspero, vivi para o meu e o conforto da minha família, no pantanal mato-grossense.

Homem esclarecido, à medida que o meu rebanho crescia, a avidez de possuir mais me levou ao desconcerto da razão.

Procurei viver, exclusivamente, para as necessidades da minha propriedade, divorciando-me, é certo, um pouco da família, porque encontrei uma santa mulher que pôde assumir a educação dos quatro filhos, aos quais eu procurei dar o que o dinheiro pode comprar, embora não haja dado de mim mesmo aquilo que é base, que equilibra e fomenta o amor.

Porque o meu rebanho vivesse no pantanal, periodicamente eu contratava homens para ferrar o gado extraviado que nascia sem que tomássemos conhecimento, numa luta infernal.

Vinte e cinco anos de pelejas exaustivas reduziram-me, por fim, a verdadeiro frangalho, antes de completar cinquenta e cinco anos.

Nessa fase, uma hemiplegia amarrou-me ao leito, obrigando-me a ser transferido para a capital.

Padeci, limitado, o que as mentes mais imaginosas não podem elaborar, sem poder exteriorizar as minhas vontades. Bloqueado na palavra e na movimentação, vi-me degenerar, sem que a morte apagasse a minha consciência. Escaras dolorosas e cruéis carcomeram-me o corpo, por fora e por dentro, até que a morte tomou conta de mim sem apagar a minha lucidez.

A impiedade com que eu tratava os subalternos e a indiferença pelo seu destino, granjearam-me inimigos ferrenhos que me esperavam do lado em que agora me encontro.

Seviciado e perseguido, tenho experimentado alucinações que não passam, e dores que não cessam.

Recentemente, fui atraído ao lar por um lamentável processo movido pelos meus filhos, que repartem os meus haveres, inconformados, carregados de ódio contra mim, em uma luta feroz, na qual, dizendo-se defender a mãe, dois a dois se digladiam como adversários.

O espólio, na justiça, é uma herança desventurada, que tem acarretado, nesses cinco anos, dissabores e planos de vingança que se acumulam numa volúpia que já arrebatou algumas vidas.

...E eu sou responsável por tudo. Vencido pelo rancor contra uns e outros, quero poupar a mulher a quem tanto amo ao suicídio, porque está no limite máximo das suas forças. Em consequência, agarro-me a ela, para retirá-la do palco das desgraças humanas, trazendo-a para cá, a fim de evitar-lhe tantas amarguras, preferindo ser-lhe o assassino a vê-la suicida. Matando-a, eu sou o culpado; matando-se, ela será desventurada. Assim, optei pela primeira hipótese.

Por isso, eu me encontro no inferno, num inferno que não se pode descrever. Se aqui estou, é mendigando comiseração, para ter o direito de recebê-la, antes que ela se mate, indo os dois para o purgatório e deixando, na Terra, o que à Terra pertence: essa fortuna malsinada que a minha loucura acumulou e que os filhos estroinas querem destruir!

Ninguém se engane com a vida; ninguém se engane com a morte.

Morrer é cair numa vida mais real, cruel ou desventurada, conforme aquela da qual o homem sai, continuando, no entanto, em uma situação que o amarra ao passado, tornando-o vítima do presente.

Não posso continuar...

Armando Bevilácqua

Nota do compilador:
Esta comunicação a todos nos comoveu pelo drama que encerra. A voz da Entidade, que transfigurou o médium, dava-nos uma pálida ideia dos seus sofrimentos, não obstante estivesse amparado pelos guias espirituais. O seu pranto e angústia interromperam a mensagem, que não necessitava de maiores informações. Os mentores explicaram que ele seria beneficiado, embora os problemas no lar ainda o retivessem ali, apesar de amparado, por mais algum tempo. Por motivos compreensíveis substituímos o nome do Espírito.

3

Crimes desvelados

Bem-aventurados os que creem na vida, pois que eles colhem o fruto das suas ações em forma de plenitude de paz.

Desditosos os que da vida têm somente a negação, porque despertam, além da consciência cerebral, vivendo.

O mais pesado tributo da vida pode ser considerado o ato de continuar a viver.

A vida é severa demais para com os seus fraudadores e benigna em excesso para os que lhe respeitam a integridade do programa.

Vivi, na Terra, desafortunadamente, sem acreditar na vida.

Fiz-me homem guindado aos interesses imediatos sem a noção verdadeira do significado profundo da vida.

A vida, porém, me surpreendeu depois do túmulo.

À semelhança da expressiva multidão que acredita exculpar-se dos erros por ignorar a vida, fiz-me vítima da vida que levava.

Gozei de prestígio social. Construí um lar.

Adaptando-me às licenças perniciosas da moral duvidosa, achei perfeitamente natural o adultério fora da família, no mecanismo de falsa necessidade perfeitamente consentânea com a mentalidade vigente entre aqueles com quem eu convivia.

"O homem é alguém que se permite direitos, especialmente na área dos prazeres sexuais" – afirmavam todos os companheiros que se facultavam licenciosidades nas quais também me engajei.

Por infortúnio, a companheira elegida concebeu. Para manter a aparência de homem probo, induzi-a ao aborto delituoso.

A mentalidade vigente era, então, conforme prossegue, de que o erro não é apenas a sua prática, mas o desvelar-se para o conhecimento geral.

Ela instou comigo, afirmando-me desejar ser mãe, mas eu insisti, negando-lhe a paternidade.

Não podia desvelar-me na comunidade social onde brilhava.

Ameacei-a, pedindo eleger o filho ou a minha presença. Dependente da paixão que a consumia, tresvariou, tombando no crime que lhe impus.

Mas não parei aí.

Por três vezes consecutivas a maternidade chegou à companheira querida, e eu, intransigente, impedi-a de levar adiante a concepção. Fi-la matar perfeitamente tranquilo da minha decisão.

Pela quarta vez, depauperada e nervosa, em gestação, ela me desobedeceu; abandonei-a.

A maternidade se concretizou e não tive a oportunidade de ver o filho a quem me neguei dar a vida, porque um brutal infarto arrebatou-me do corpo. Todavia, não se encerrou aí a tragédia que eu elegi.

A família carpia, sobre o meu cadáver, tomada de profundo sofrimento, quando a companheira desprezada, sabendo do acontecimento funesto e com os justos direitos de também chorar a morte de quem lhe decretara o abandono, veio ao meu lar e informou à minha esposa que me desejava ver pela última vez.

Narrou todo o seu infortúnio, impondo, sem o desejar, à minha viúva, frágil e delicada, sorver mais o novo conteúdo amargo da desesperação e da desgraça.

Nobre, por princípios, ela concordou que a tresloucada mulher vertesse pranto sobre o meu esquife diante de todos.

É muito difícil ser juiz do próprio infortúnio.

Ela acompanhou o meu corpo à tumba e, lado a lado, as duas passaram a ter atitudes diferentes. Enquanto a concubina chorava, a esposa ferida fazia um quadro de amargura depressiva, no qual tombaria irremissivelmente, vitimada pela mágoa, pelo desconforto moral, pela surpresa devastadora.

Eu acompanhei, passo a passo, com o peito esmigalhado pela dor fulminante que não passava, todos os lances que me trucidavam sem me aniquilar.

Nos dias seguintes, protestando estar vivo, sem que ninguém me ouvisse nem entendesse, quis aclarar os acontecimentos que me envolviam, quando a esposa marchou para uma clínica de repouso para um tratamento psiquiátrico do qual não voltaria mais à lucidez.

Segui o desenvolvimento do ódio surdo dos filhos vilipendiados pela minha indignidade, sofrendo a dor pelo abandono da mulher ludibriada a quem esquecera com o filhinho que o meu orgulho desconheceu.

Foi assim, nessas circunstâncias, que eu saí do mundo, sem sair da vida, porque a vida esperava-me com todos os condimentos do meu cinismo e os tormentos do meu deboche.

Aqueles Espíritos a quem eu negara o corpo, aguardavam-me aqui e não esperaram que eu me refizesse dos dramas que me enlouqueciam, para se atirarem sobre mim, desejando fazer justiça com a sua própria loucura.

A punição do delituoso é a responsabilidade da culpa.

O gravame é um ácido queimando e requeimando por dentro, sem acabar de consumir.

Um decênio já se vai. A esposa, hebetada, agora, em casa, sob altas doses de barbitúricos, destruiu a minha memória no lar; o filhinho, com dez anos e pouco, é uma antiga vítima de mim, que retornou suplicando compaixão, utilizando-se do meu erro.

Peregrinei aqui no submundo dos desventurados. Estive encarcerado, seviciado, vencido.

Foi no máximo do desespero que imprequei a Deus, suplicando misericórdia, a misericórdia que eu não dei, mas de que necessitava; essa misericórdia chegou-me.

Fui resgatado das minhas vítimas e agora me preparo para voltar. Retorno que não se desenha fácil, porque me pesam na consciência três infanticídios, fora os crimes do orgulho e da soberba, do egoísmo e da ingratidão.

Baterei a portas, que se me fecharão; intentarei, por três vezes, renascer, sendo expulso da vida intrauterina antes de consumar-se a volta, para assim aprender, na clausura de pertinaz alucinação mental, o respeito pela vida, a consideração ao amor. Porque o meu não é um caso isolado, fui convidado a expor os meus delitos morais, na esperança de que eles possam impedir que alguém como eu materialize, na sua insânia, os crimes que eu perpetrei.

Se lograr êxito neste tentame, de alguma forma estarei reparando os meus erros, por evitar que outros estejam se comprometendo.

A vida, que não cessa, é Deus perpetuado na consciência de cada um.

Armando Ramos da Silva

4

Cultura e fracasso

A precipitação e a revolta me arruinaram.
Confundi impetuosidade com coragem.
Deixei-me arrastar pela revolta e agora colho a amargura.

Fui escritor, na Terra, marcado, dolorosamente, por traumas e recalques.

Tinha a visão distorcida das coisas; por isso, projetava os meus conflitos íntimos em todas as paisagens contempladas.

Intentei escrever dentro do ritmo acadêmico, mas não por amor à beleza, nem à verdade.

Impunha-me a perseguir láureas, que eu acreditava merecer, ignorando tratar-se de uma área rica de preconceitos e assinalada por valores, que agora não vem ao caso examinar.

Não tive acesso ao brilho que me atribuía merecer, nem à oportunidade de receber das editoras famosas o aval para os meus escritos aos quais eu tributava exagerado valor.

Vencido nos primeiros tentames, foi mais fácil refugiar-me na revolta do que insistir no dever.

Enveredei pela *imprensa marrom*.

Denegrir é mais fácil do que corrigir; acusar é mais simples do que ajudar.

Ver sempre o erro é característica de viciação ocular.

Trabalhar pelo acerto, é grave exigência do caráter são.

Verberei, com a palavra incendiada de revolta, sempre acusando, e participei da revolução pornográfica que ora assola em toda parte, colaborando para a dissolução dos costumes que eu execrava, por considerá-los ultrapassados.

Consegui o destaque desejado.

Fiz-me temido, mas não respeitado.

Tornei-me lido e vivi ultrajado em mim mesmo.

Consegui dinheiro e fui odiado.

Espezinhei quem surgiu no meu caminho, tentando sombrear-me ou obstaculizar-me o avanço.

Usei a pena como uma lâmina sempre para cortar e destruir; nunca para retificar.

As dissipações divulgadas envolveram-me no caos de mim mesmo, que me reconhecia abjeto.

Disfarcei, nos vícios, os conflitos interiores, e, nas conquistas fáceis, uma virilidade que não possuía, gastando-me de dentro para fora e aniquilando-me de fora para dentro.

Não é necessário dizer que uma icterícia foi a resposta aos meus desbordamentos nos alcoólicos e retornei prematuramente para cá.

Ainda não me dera conta da consumpção da matéria e já me encontrava envolvido pelas companhias que acalentei.

Eu fora um obsidiado!

A minha mente era pasto para outras mentes viciadas.

Minha arte de escrever estava profundamente vinculada a outros escritores infelizes já *mortos*, cujo calibre moral eu selecionara por eleição pessoal.

Pela minha negligência usaram de mim como eu usei das misérias humanas, para escarnecê-las.

Tenho sofrido!

Minudenciar as dores morais que me devoram nestes três últimos lustros, no *país de cá*, é tarefa a que não me atrevo.

Juntando-se a essas aflições morais sofro o drama dos fenômenos *físicos*, para mim incompreensíveis, porque sem possuir o corpo, porém, como resultado do suicídio indireto a que voluntariamente entreguei-me.

Ainda continuo inspirando asco e rejeição na Terra.

Cada página minha, que estimula o vício e que promove o despautério, quando lida, torna-se uma verdadeira brasa a queimar-me por dentro.

As incursões mentais dos que me leem, atingem-me como raios fulminantes que me ferem profundamente.

Amargado, sem sucumbir e vencido, sem me exaurir, sou um pária tombado na mais terrível abjeção.

Nesses quinze anos, mesmo que me dando consciência do meu estado, não me atrevi a chamar por Deus.

Infame por conta própria, pronunciar o nome do Divino Genitor, era como blasfemar diante da vida.

Até para o réprobo ou insolvente, chega um momento que lhe propicia mudança de comportamento.

Também chegou o meu momento de ser recolhido por nímia misericórdia de Deus, para reaprender, a fim de me tratar.

Momentaneamente fui liberado dos meus algozes, que me escarneceram superlativamente, tripudiando sobre todas as minhas fraquezas; eu que lhes fora dócil instrumento para suas perversões!

Agora é recomeçar.

Conscientizar-me ao máximo sobre a responsabilidade para refazer o caminho, para mergulhar na idiotia do esquecimento temporário, no corpo, aprendendo, assim, a valorizar os dons da inteligência e os instrumentos corporais que a vida nos concede por empréstimo, para evolução, em tratamento que se prolongará por algum tempo, curando exulcerações profundas que se encontram nos tecidos mais sutis dos implementos do Espírito.

Não tenho condições morais para aconselhar.

Desejo alertar a quem fala e a quem escreve, a quem transmite impressões de qualquer natureza, que a ideia que projetamos, podendo influenciar aqueles que a assimilam, é imagem que voltará multiplicada à fonte geradora.

A mente pode ser comparada a uma chapa de alta sensibilidade fotográfica, que registra todas as impressões interiores e fotocopia todas as expressões que lhe são arrojadas de fora.

Impressos nos painéis do mundo interior, os clichês se repetirão automaticamente até que registros mais poderosos os eliminem, o que sempre ocorre pela dor, deixando o campo de alta sensibilidade predisposto para futuras impressões.

A mudança de domicílio corporal não impõe transformação real a ninguém.

O Espírito sai do corpo conforme o habitou e prossegue consoante escolheu a linha de comportamento vivenciada.

Todo compromisso diante da vida, no campo das realizações e do intercâmbio entre as criaturas, deve ser diligenciado, oh! sim, com elevação e nobreza, mesmo que sob dolorosas condições e amargos aparentes resultados que sempre serão o efeito próximo, modelador das consequências reais que virão depois, quando, sucumbindo a matéria, o Espírito se puser de pé, livre, para prosseguir na sua destinação gloriosa, que é a perfeição.

O mais lamentável, para mim, é que eu conheço estas informações que trago no meu depoimento, e, apesar de tudo, fracassei.

Egberto Monteiro

5

Culpa e reabilitação

A consciência culpada é o mais importante algoz de que se tem noticia.
O verdugo, que acoima e persegue sua vítima, por mais lhe esquadrinhe a alma com os instrumentos da maldade, que a mutilam, não pode alcançar o penitente em muitas circunstâncias.

A consciência da culpa produz um ácido que queima e requeima interiormente, retirando por completo a paz do calceta enganador.

Por isso, a Divindade não tem pressa em mudar as estruturas das leis, nem o comportamento humano, permitindo que essas realizações se operem a tempo e hora próprios, e no seu devido lugar. Isto, porque essas leis estabelecidas na consciência humana erguem o tribunal que julga delitos e aplica penas, jamais ludibriado pela mais astuta inteligência, que se lhe submete quando começa a fase da reabilitação.

Amealhei, na Terra, muitos bens, acreditando na felicidade endinheirada.

Alucinado pela cobiça, e porque houvesse caminhado pelas estradas da pobreza, permiti que a volúpia da posse me dominasse, pisando quantos se acercavam de mim, vencido pela fúria da desmedida cobiça.

Artimanhas e indignidades sem-nome foram articuladas pela minha mente febril, na qual eu substituía o valor da amizade pelo dinheiro, descendo ao cúmulo da negação de Deus, diante das arbitrariedades cometidas.

Reunidas as primeiras moedas e conseguidas as primeiras propriedades, prossegui, bestial, na voragem de tudo possuir, arrebatando os recursos dos ingênuos pelos meios mais ignóbeis a que recorri.

Entre as urdiduras mais perversas, criei a técnica de emprestar dinheiro a altos juros, aceitando um papel firmado pela minha vítima em potencial, cuja importância a resgatar eu sempre adulterava.

Chegado o dia do resgate do compromisso, em vez de devolver o documento, amassava-o com ar indiferente e atirava-o à cesta de papéis, deixando o amigo com a falsa sensação de quitamento. Tão logo este saía, tomava do documento, passava-lhe o ferro de engomar e mandava-o à cobrança...

Arruinei homens probos e desferi golpes de insânia perversa em mulheres honradas, que me amaldiçoaram através das futuras gerações.

Consegui, por esse meio, imensa fortuna em moedas; fiz-me latifundiário de terras que eu desconhecia; no entanto, não lograi a paz, não consegui a felicidade...

Perdi o interesse pelo amor e vivi detestado por uns, bajulado por outros, aos quais eu menosprezava.

Tive o que o dinheiro compra, entretanto não comprei a vida eterna.

O corpo cansou-se, o tempo o consumiu numa morte infeliz.

Se a vida me foi azinhavrada com o sabor das moedas, a morte se me fez a mais dantesca desgraça que se possa imaginar.

Quanto mais eu buscava acabar, esquecer, apagar a consciência, mais esta se me acendia, fazendo-se lúcida e, utilizando-se de um *cinemascópio* estranho, projetava-me, com inexplicável riqueza de detalhes, os crimes hediondos que eu perpetrara...

Arrojei-me sob as rodas dos veículos em movimento, em vãs tentativas de aniquilamento, porém dali saía, somando às dores morais as aflições *físicas* decorrentes do gesto tresloucado e inútil.

Atirei-me do alto de edifícios, lancei-me ao mar, em fornalhas em chamas, fugindo da vida que permanecia, mais fazendo que a vida triunfasse sobre as minhas sortidas, cada vez mais acrescidas dos novos desvarios...

Foi nesse transe, cujo tempo não posso avaliar, que me deparei com aqueles a quem eu levara ao suicídio, ao homicídio, à desgraça...

Apareciam-me repelentes, horrendos, em chusmas que me exauriram as forças gastas até que se apossaram de mim, levando-me às terras que lhes tomara, aos bens que lhes furtara...

Não há como se descrever a desdita superlativa.

Alguns se transvestiram de entidades demoníacas e arrastaram-me a regiões infernais onde me retiveram por longos decênios, que não tenho como relatar.

Conheci de perto o inferno mitológico, nas *carnes da alma*.

Não posso avaliar o tempo em que tudo isso sucedeu, até quando fui libertado, passando para outras paisagens igualmente desconcertantes.

Se tinha sede e me arrojava a um córrego de água transparente, esta se transformava em moedas tilintantes que eu recolhia e arrojava fora porque sem valor para a circunstância.

Diante de qualquer alimento eu o tocava e este se convertia, ante os meus olhos, em notas bancárias e papéis de recibo que me eram familiares.

A desdita de Midas, que tudo quanto tocava se convertia em ouro, estava viva em mim, repetindo-se a cada instante.

A fome, a sede, o frio, as doenças, consumiam-me... Eu não tinha ideia do em que me transformara.

Passei, enfraquecido, a rastejar, nauseante e perseguido pelos meus desafetos.

Permaneço ainda nas furnas do desespero, confundido com os réprobos, os malsinados.

Para cúmulo dos meus infortúnios, a minha consciência anui com todos estes sofrimentos, que eu reconheço merecer.

Os meus herdeiros se olvidaram de mim.

Nenhuma prece deles projeta luz no poço das minhas desventuras.

Por fim, volvi à infância e recordei-me de minha mãe ensinando-me a orar. Compreendi que ela me buscava, apesar de não a poder detectar.

Comecei a orar em desespero no início, tornando-se-me um hábito depois, refrigerando-me a turbulenta situação.

...Agora descubro que diversos dos meus herdeiros, que me projetam dardos de ódio e malbaratam o que reuni, são os antigos donos dos bens que eu usurpara e tornaram à sua legitima posse...

Eu prossigo resgatando, a consciência severa culpando-me, ora confiado em Deus, que me há de pôr termo aos superlativos desatinos transformados em ruína na qual me crucifico na busca da reabilitação.

M.

Nota do compilador:
Por motivos óbvios foi suprimida a identidade do comunicante.

6

O DRAMA DE UM ALCOÓLATRA

A garganta arde-me. Parece que são brasas queimando e queimando...
Tenho que tomar uma dose! Estou sóbrio.

Necessito de um trago! Eu me recuso o nome de alcoólatra. Tomo somente aperitivos de fim de semana: sábado e domingo e nada mais.

É claro que, durante a semana, eu tomo um pouco de estímulo aqui, uma dose ligeira ali, um coquetel à tarde, antes do jantar, mas não sou alcoólatra.

Dizem que o alcoólatra é aquele que tem *delirium tremens*. Eu não cheguei a este ponto. Às vezes, fico é desvairado. Essas alucinações, porém, ocorrem porque eu ando adoentado, mas não é da bebida.

Tenho amigos que bebem muito mais do que eu, e, no entanto, não são alcoólatras.

Reconheço que tenho o organismo fraco; uma dose ligeira, às vezes, atordoa-me. É natural.

Eu não espanco a esposa, nem maltrato meus filhos. O que falam a este respeito é mentira.

Devem ser salteadores que entram na minha casa, fazem isso por mim, e ela, depois, acusa-me.

Necessito de uma dose urgente, porque estou a ponto de enlouquecer.

Ando também todo quebrado.

Foi o acidente. Eu não vi direito o que ia acontecer.

Tenho a impressão que era uma alucinação. Passei a ter tantas! O baque foi surdo. Mas, ante aquele monstro crescendo na minha frente, fiquei petrificado. Passou por cima de mim, esmigalhando-me os ossos. Depois, foi aquele escuro, e a dor selvagem.

Após, caí num túnel profundo. Não sei!

Muitos fantasmas surgiram em volta de mim, querendo beber pela minha boca.

Eu também estou querendo beber!

Tenho necessidade de ingerir um copo. Não é que eu seja viciado.

É verdade que a bebida degrada o homem.

Já fui internado. A mulher traiu-me; todavia, mesmo ali eu tomei até álcool. Não ia morrer abstêmio. Fiquei bom!

Uma reunião social, um trabalho, e já surge o uísque. Trata-se de uma bebida elegante que se usa sem ser vício.

É que hoje estou com mais sede. Ando procurando quem me sirva um gole. Então eu me acalmo, advém-me a lucidez e aí me dou conta de que estou no lugar em que não sei se é onde estou...

Eu preciso de um trago para encontrar-me comigo mesmo.

É isto que eu sofro, é o inferno.

Eu tropeço com alcoólatras, mas eu não o sou; eles sim.

Estão delirando e gritam. Talvez eu esteja internado novamente.

Mas é tão sombrio tudo isto; é muito sombrio aqui.

É muito enigmático tudo isto; tudo é enigmático.

Eu preciso de um trago para aplacar esta sede ou me tornarei violento.

Eu o conseguirei de qualquer forma. Se for necessário roubar e matar, pois, eu o farei.

Necessito de acalmar esta sede que me devora, que arde em mim.

Lá vem o caminhão! Salve-me alguém!

Lá vem o caminhão outra vez. Isto é um delírio, certamente. Lá vem, olha o monstro! Vai engolir-me, vai engolir-me!

M.

Nota do compilador:
Apesar de carinhosamente trazido à reunião, este Espírito prosseguiu sofrendo, mesmo após o socorro de que foi alvo.
Como não há violência nas Leis de Deus, tão logo ele se reconheceu melhor, não conseguindo vencer o vício que lhe instalara graves lesões no perispírito, deixou-se atrair ao sítio donde fora recolhido, retornando à aflição que o desarvora.
Não obstante, periodicamente será assistido pelos bons Espíritos, até o momento em que consiga iniciar a sua reeducação.

7

Hibernação desditosa

Durmo o sono dos justos. Este sonho levar-me-á de volta ao sono demorado por que anelo.
Travou-se a última batalha do Armagedom e agora os redimidos ganharão a Terra.

Logo soarão as trombetas chamando à ressurreição, e o Anjo do Senhor, separando os bodes das ovelhas, elegerá os seus, e aborrecido com os outros os entregará a Satanás.

O meu sono, interrompido pelos sonhos, pelas inquietações, pelos desesperos que me chegam em ais, agora terá o seu momento feliz na inconsciência.

Aguardei que se travasse a última batalha que os profetas de Deus anunciaram ao povo bíblico, representando o momento da consumação final.

Ouço, pela tela da memória, as vozes dos antepassados falando da nossa redenção.

O sangue do Cordeiro que "lava os pecados do mundo" redimiu-me porque eu cri. Creio no poder do Seu sangue. A Sua fé vive em mim, dando-me a certeza de que o Reino dos Céus é meu.

O tempo se alonga, a ansiedade inquieta o meu repouso, mas aguardo apenas que logo passem os últimos momentos do Armagedom, e que a trombeta libertadora levante os cadáveres que dormem para a glória do Reino do Senhor.

Os irredentos, que não se lavaram no sangue do Cordeiro imolado, experimentarão o inferno.

Que digo eu? Sonho, eu sonho, e parece que estou desperto. Teria sido para mim a morte um sonho ou será um sonho a vida?

Onde estão os anjos do Senhor, que devem salvar as Suas ovelhas, aquelas que tomaram o "Livro da Vida", "a palavra de Deus", e os incorporaram ao seu dia a dia?

Se é necessária a humildade, a fé está acima dela.

Se me falam da caridade, a fé é soberana a ela.

"Crê, tu e a tua casa, e sereis salvos" – disse o Senhor.

Este dormir é um sonhar. Este sonhar que é dormir, é o prenúncio da vida eterna.

A palavra de Deus, desde Oseias a Ezequiel, do Gênesis a Elias e desde Mateus ao Apocalipse de João, constitui a eleição do "povo de Deus", no qual eu me encontro.

Abre-se o selo e o cavaleiro negro sai em desespero, semeando a morte, a peste e a dor.

É grande a hora do Armagedom. Aleluia!

Irredentos do mundo, lavai-vos no sangue do Cordeiro imolado na cruz dos nossos pecados!

Eu dormirei. Eu aguardarei o arcanjo do Senhor que me virá buscar. Aleluia!

Agora repousarei. Agora aguardarei o Juízo Final e o dia da ressurreição.

A Terra vomitará os corpos e eu serei feliz. Aleluia!

Dormir agora, para acordar depois. Os que ficaram no mundo de lodo e de Adão, nas mãos de Caim, irão para as geenas. Eu não! Eu dormirei para despertar no Juízo Final. Aleluia!

Nota do compilador:
O comunicante estertorava-se, enquanto, em profundo sofrimento, enunciava os conceitos conflitantes e equívocos, derivados de uma crença fanática, sem a transformação moral do indivíduo, nem as ações dignificantes. Foi retirado pelos benfeitores desencarnados, sofrendo de auto-hibernação desditosa.

8

CRIME DE EUTANÁSIA

Não é necessário ser juiz para aquilatar toda a profundidade da minha inocência.
Também não sou advogado para examinar as circunstâncias e razões que me coloquem a salvo dessas acusações de crimes não praticados.

Sou médico e, na minha condição de discípulo de Esculápio, segui a consciência.

Quando os dados são falsos, o jogo é sempre desleal.

Diante das conjunturas que não permitem uma visão global dos acontecimentos, qualquer técnica de julgamento é arbitrária.

Muito difícil, portanto, avaliar a situação de um suicida, de um assassinado ou de alguém que recebeu a eutanásia.

Advoguei sempre a eutanásia como paliativo para as aflições dos irrecuperáveis.

Depois das arbitrariedades cometidas, Nero não teve coragem de suicidar-se; no entanto, foi auxiliado por um soldado, que lhe consumou a existência miserável.

Calígula, depois de todos os crimes perpetrados, para ceder o lugar ao seu tio Cláudio, teve a vida encerrada pela conspiração de Cássio Quéreas...

Mas, antes deles, Marco Antônio e Cleópatra, vendo ruir as suas ambições, no Egito, refugiaram-se no suicídio, para evitar as dores inenarráveis que os aguardavam...

São fatos de ontem; mas, a História de hoje nos mostra a figura abominável de Adolf Hitler, no seu refúgio de Berlim, suicidando-se, para evadir-se a uma morte mais desventurada...

A lista é intérmina, de suicidas e de assassinados, a que se poderia aplicar a justificativa de uma fuga honrosa para poupar-se às dores, já que, sem resistências físicas e morais, chegariam à loucura.

A Medicina, por sua vez, no largo processo da sua literatura histórica, não se exime de aplicar recursos, mediante terapias misericordiosas, como bem recentemente se fazia em relação aos alienados mentais violentos, tal como a lobectomia, reduzindo-os a parvos, incapazes de raciocinar, tornados marionetes nas mãos de familiares caprichosos. No entanto, se lhes poderia aplicar a morte, num ato de piedade muito mais justa e honrada, do que reduzi-los a seres infames, destituídos de bom senso e razão.

Apliquei, sim, a eutanásia, respaldando-me na história da Humanidade, da gloriosa Esparta que atirava os seus mutilados de guerra, seus doentes incuráveis, e aqueles portadores de alucinações pela idade provecta, no Eurotas, diminuindo-lhes as dores insuportáveis e amenizando a carga social sobre os ombros da comunidade.

Várias tribos americanas, sem nenhum contato com a civilização da Magna Grécia, também recorreram e recorrem ao mesmo expediente, levando os seus idosos para morrerem no alto das montanhas, vitimados pela inanição da fome, quando os espíritos dos seus deuses os vêm buscar, poupando-os à carga infamante de dores desumanas e retirando da responsabilidade do clã o peso das suas vidas inúteis.

Sempre defendi a eutanásia e a pratiquei.

Chamar-me de homicida é crime, e reprocho a acusação, embora saiba que são os fantasmas da consciência que me povoam os arcanos da mente, graças ao atavismo das religiões infames, de que me tentei libertar, mas, por uma *hereditariedade psicológica* ainda me atenazam a razão.

A minha primeira experiência foi com um morfético: era um "ferro velho"; as mutilações, as deformidades, a putrefação cadavérica em vida, tornavam-no uma ruína humana. Ele pediu-me e amenizei-lhe as dores, antecipando o termo da jornada, por meio de uma morte digna e honrada.

Mais tarde, na minha clínica, com a anuência dos próprios pacientes e de alguns familiares que me recorriam aos serviços, pude manter a piedade e facilitar processos de embolia, dando morte respeitável àqueles que se decompunham, misturados aos dejetos, sob escaras lancinantes e dores selvagens que lhes exigiam uma demorada sedação.

Acusam-me agora de homicida; aturdem-me; ameaçam-me cortar os tendões para deixar-me na imobilidade, arrancando-me também a língua, para que a mente apenas acompanhe a minha desgraça e o deteriorar da minha consciência.

Acusam-me, dizendo que o soro antidiftérico chegou à Humanidade minutos depois que um médico matou a filha, para a qual não tinha possibilidade de esperança, e dizem-me que a função da ciência médica é aguardar, mantendo a esperança.

Discordo veementemente que a esperança para uma metástase de neoplasia maligna que se alastra desavoradamente, levando o indivíduo à loucura ou ao insopitável desejo de morrer para aliviar-se, deva ser mantida.

A arteriosclerose senil, as paralisias, as paresias que assolam, não merecem ter abreviadas as vidas que se deterioram, quando os olhos súplices rogam piedade e misericórdia?

Sou um benfeitor da Humanidade! Coloquei nas minhas mãos e consciência o arbítrio de vidas e elegi o melhor.

A eutanásia é um bem que a Humanidade deve preservar e que a consciência médica pode eleger quando melhor lhe parecer.

Devo delirar! Este delírio é o resultado das longas vigílias na enfermaria dos desesperados, que agora me apontam o dedo em riste, chamando-me de homicida. Eles precisavam viver um pouco mais, dizem.

Se eu os matei, por anuência deles, eles são suicidas, e se assim o são, por que me acusam? Se é um fato o que me apresentam no delirar da minha mente aturdida, como compreendê-lo?

Mortos-vivos ou vivos-mortos?

Falta um largo passo para penetrar-se na natureza humana e poder-se aquilatar o binômio *corpo e psiquismo* ou o trinômio *ser, entelequia e não ser.*

A verdade é que sou um benfeitor e sofro. Esclerosado, talvez, ou nos últimos vagidos, resquícios de uma sobrevivência mental, quando a matéria se diluiu putrefata na vala comum dos desgraçados, prossigo, pensando.

Beneficiei a Humanidade e sofro. Sou a mão da justiça, que agora experimenta a espada dessa justiça.

Quem me pode julgar, sem me acusar? Não considero vítimas minhas, os que aliviei, senão beneficiados pelo meu gládio.

Necessito de repouso, do longo repouso da consciência que vai mergulhar no nada, de Herbert Spencer, cuja doutrina abracei, na demonstração de que a morte é a liberdade, o fim da vida, o apagar da mente... Mas me arrastam, arrastam-me a um tribunal, a um julgamento e eu sou inocente.

9

Vingança e loucura

A vingança é o alimento daqueles que foram traídos e ultrajados, tornando-se razão da vida.
A vingança é arma de que se utilizam os espezinhados, quando a justiça não alcança os culpados.

Tal a minha forma de encarar a realidade.

A causa da minha vingança é justa.

Eu o amava e agora o odeio. Por invigilância, confiando na sua lábia sedutora, deixei-me ludibriar.

Aguardando um casamento que não chegava, tive a desventura de ler num jornal o edital de compromisso dele com outra mulher.

O choque que de mim apossou, a ira que me cegou, foram tão terríveis, que caí fulminada. A morte veio pouco tempo depois, sem abreviar os meus sofrimentos.

Louca de ódio, despertei na sepultura, vitimada pelas circunstâncias no meu falecimento. Queria volver ao corpo, mas, em decomposição, este não atendia aos meus apelos.

Sofri as alucinações que não têm limite, nem podem ser imaginadas.

Via-me dúplice – perfeita, amarrada ao cadáver degenerando-se e o próprio cadáver refletindo-me. Alucinada, querendo viver a qualquer preço, embora estivesse dentro da vida que não desejava.

Experimentei todos os infortúnios que aguardam os desventurados um passo depois da morte e jurei que me vingaria nem que a eternidade me consumisse.

Perdi contato com o tempo.

A minha ideia era ele, para me pagar. A sede de vingança fez-me viver numa fixação única a rodopiar como um parafuso cravado na mente, na mesma direção, de tal forma que o sofrimento já não me afetava, sabendo que um dia eu teria o traidor nas mãos.

Dei-me conta, muito tempo depois, que o ingrato pensava em mim, vitimado pelo remorso.

Foi ele quem me levou para dentro da casa onde morava. Seu pensamento arrancou-me da tumba onde eu me demorava, fazia anos, conforme pude descobrir depois.

Aquele homem, porém, que fora a causa da minha infinita ruína, era agora um trapo. O vício da bebida mortificara-lhe as carnes moças. A esposa o abandonou, cansada, e a mente dele chamando por mim, pedia-me perdão, tentando explicar-me as causas do abandono a que me relegou. Deu-me campo, desse modo, para a vingança que está a ultimar-se, após tê-lo levado ao suicídio, quando embriagado, sofrendo o grupo de famigerados companheiros que o seguem, há muito tempo, aumentado pela minha sanha, pela minha volúpia de destruí-lo.

Eu tive a honra de atirá-lo sob as rodas de um pesado caminhão. Vi-o estrebuchar, ser expulso do corpo, quando o carro pesado lhe esmigalhou os ossos e o sangue borbulhou por todos os orifícios e pelas dilacerações que lhe encerraram a vida maldita.

Foi a última etapa do meu desforço, apoiada por outros que também o odiavam. Mas isso não me bastou, nem me basta, porque ele foi arrebatado de mim e eu continuo no seu encalço, qual loba feroz, para que ele possa aprender que não se trai uma mulher, deixando-a na rua da amargura, como fez comigo.

Prosseguirei desditosa como sou, por meu próprio querer, até a hora em que eu me possa acoplar nele, Espírito a Espírito, como uma concha ao molusco ligada, e sugar-lhe até a última gota de energia e morrer, agora sim, num esquecimento que me apague, de vez por todas, a consciência desventurada.

Sofro muito, caminhando por um inferno que não tem fim. Ardendo nas labaredas do ódio, acicatada pelos demônios que vivem dentro de mim, clamando vingança e vingança, sem uma única esperança de paz, sem nenhum desejo de amar, sem nenhuma perspectiva nem anelo de céu, porque relegada a este inferno em que vivo eternamente, clamarei por vingança...

Nota do compilador:
A transfiguração do médium, da face e da voz deram ao relato uma realidade chocante e comovedora.
Criado pela mente da infortunada comunicante, o seu inferno resulta do tormento da vingança que a enlouquece.
Beneficiada pela fluidoterapia que lhe foi aplicada e pelo carinho dos abnegados mentores espirituais, o seu bem-estar somente será logrado mais tarde, quando se proponha à renovação íntima ou a reencarnação a conduza ao mergulho no temporário esquecimento...

10

Justiça arbitrária

Trouxeram-me para depor.
Estou, porém, acostumado a defender.
A Justiça, para mim, tem somente uma direção, especialmente no campo a que dei a minha vida.

A força do argumento, baseado na lei, é a cláusula da verdade.

O advogado criminalista é, sobretudo, o intérprete da consciência do seu cliente, que pode aprofundar o exame nas causas despercebidas do crime e defender o delinquente dentro de uma visão que se coaduna com o interesse dele, nem sempre com o interesse social.

Exerci a advocacia com ardente interesse. Primeiro, ativado pelas concessões que a fortuna pode dar aos que defendem os criminosos que podem remunerar bem. O lado ético, o chamado lado da vítima, deixou de me interessar, desde quando, não podendo ressuscitar o morto, empenhava-me em preservar o vivo. Segundo, porque considerando o sistema penitenciário vigente, arbitrário e criminoso, porque feito por uma sociedade corrompida, sem me eximir à corrupção que contamina a todos, procurei brilhar no fórum, defendendo as vidas que me compravam os equipamentos culturais em nome da lei.

Houve momentos rutilantes no meu desempenho, com réplicas e tréplicas que comoveram as multidões apinhadas no salão do júri, facultando aos que confiaram a mim os seus segredos, o retorno à liberdade.

E fi-lo, muitas vezes arrebatado pelo entusiasmo ou picado pelo ódio.

A morte tomou-me o corpo e eu não fugi da realidade.

Ainda me sinto arrebatado pelo entusiasmo, agora muito mais picado pelo ódio.

Aqui, acusam-me de haver defendido o criminoso e perseguem-me porque eu não permiti que a Justiça alcançasse aqueles que se entregaram à sanha dos seus sentimentos mais vis.

Hoje eu me empenho numa luta titânica, desgastante, devastadora, com estes párias que a morte não aniquilou, quanto a mim próprio não destruiu.

Acusam-me e querem fazer contra mim justiça com as suas mãos, em nome da justiça que é cega, deixando oscilar para aquele que lhe ponha mais ouro no prato da balança que segura. Foi o que eu fiz.

Desde os dias remotos da Grécia, passando pelas civilizações de Roma, das Gálias e dos Iberos ou ainda mais recuadamente, na arbitrária justiça de Salomão, nem sempre a sabedoria ganhava a causa da verdade, e sim a astúcia, a habilidade, a maneira de armar o sofisma e de engendrar a defesa utilizando-se da estupidez dos outros.

No júri popular, em especial, desarmados da compreensão das sutilezas da lei, os jurados não passam, muitas vezes, de instrumento da emoção que o criminalista sabe utilizar com habilidade para atingir os seus fins.

Mas agora dizem que eu sou tão criminoso quanto os criminosos que eu defendi; e por quê? Porque as suas vítimas esperavam pelo menos a justiça e voltam-se contra mim, travando-se novas pelejas em que sou levado a julgamentos mais arbitrários do que aqueles de que eu participei, arrastando-me a verdadeiros pelourinhos de execração pública, nos quais, exposto como novo Quasímodo, sou vítima do escárnio, da chalaça e da zombaria dos biltres a quem detesto com todas as forças da minha vida.

Perdi o contato com o tempo e não sei mesmo qual a razão por que me trazem aqui para depor, a fim de que a minha desdita possa ser útil. Eu duvido muito que a voz da sepultura consiga modificar a paixão pelo dinheiro de quantos estão na ribalta dos interesses mesquinhos, disputando os ouropéis por cuja conquista todos nos engalfinhamos. Eu sou o desgraçado que reconhece a desdita, mas cujo orgulho não me permite recuar. Sofro, e faço sofrer, porque as sombras vêm do Letes acusando-me, de dedo em riste, e mostrando-me a desgraça que se lhes abateu sobre o lar.

Não posso recuar no já feito. Não me arrependo, pois que cumpri com o meu dever perante a vida. Fui pago para defender, e, se fosse necessário e possível, eu repetiria novamente todas as façanhas porque, desgraçadamente, só depois da morte é que se pode avaliar a vida.

Aqui estão comigo, no mesmo pelourinho, os que se deixaram vencer pela venalidade: juízes inescrupulosos, promotores corrompidos, advogados malsinados que, juntos, desrespeitamos a lei. Qual a lei, porém? As leis humanas são todas trabalhadas pelos interesses dos mais fortes sobre os mais fracos, dos dominadores sobre os vencidos, dos poderosos sobre os desgraçados. E como aprendi que a Lei de Deus está refletida na lei da justiça dos homens, eu me justifico; e se a consciência não se submete à minha justificativa e os meus perseguidores inclementes me pretendem crucificar, mil vezes, sem que haja extinção da minha consciência, que o façam. Engalfinhar-nos-emos nesta luta pelo dobrar dos tempos, até que uma consumpção desarvorada e aniquiladora se abata sobre nós, tornando-nos sonâmbulos do horror, mumificados pelo ódio, até o término das eras.

Nota do compilador:
A comunicação, assinalada pelo desequilíbrio do Espírito em sofrimento, caracterizou-se por vários sofismas, retratando a sua ignorância a respeito dos Soberanos Códigos da Divina Justiça, que ainda não encontraram a necessária acolhida nas mentes nem nos sentimentos humanos, seja nas criaturas, ou nas nações.

Segunda Parte

Espíritos em recuperação

1004. *Em que se baseia a duração dos sofrimentos do culpado?*

"No tempo necessário a que se melhore. Sendo o estado de sofrimento ou de felicidade proporcionado ao grau de purificação do Espírito, a duração e a natureza de seus sofrimentos dependem do tempo que ele gaste em melhorar-se. À medida que progride e que os sentimentos se lhe depuram, seus sofrimentos diminuem e mudam de natureza."

São Luís [4]

---

4. *O Livro dos Espíritos*, de Allan Kardec.

SEGUNDA PARTE

ESPÍRITOS EM RECUPERAÇÃO

1

A TRAGÉDIA DO VÍCIO

Creio que o correto é desejar a paz ou algo equivalente.

Afirma o refrão que "ninguém é bom juiz em causa própria", pois que é muito difícil uma avaliação do comportamento pessoal com a isenção de ânimo que seria de desejar-se.

É um sentimento de autopiedade o de quem justifica os deslizes ou a marca da culpa que os agrava, quando o homem se predispõe a examinar a própria conduta. No entanto, procurarei ser imparcial no relato cuja figura central sou eu mesmo.

A morte surpreendeu-me há vinte anos, quando eu vira passar o quinquagésimo segundo janeiro de uma vida irregular.

Homem acostumado a um conceito venal em torno da masculinidade, desde cedo me associei às aventuras dos bordéis, com sofreguidão e tormento.

O lar que constituí teve mais a finalidade de uma justificativa social do que significou uma responsabilidade esponsalícia.

Tornei-me pai por duas vezes, no lar, e meu procedimento, que não passava despercebido dos meus familiares, transformou-se no exemplo do mau exemplo para a conduta deles. Todavia, eu acreditava que o dinheiro podia propiciar o que os sentimentos se negavam a oferecer.

Industrial próspero, mantive minha casa no padrão superior do conforto. A minha filha, o meu rapaz e a minha esposa, quanto eu próprio, usufruímos do destaque social que a situação invejável podia propiciar.

Alguns anos depois do matrimônio, em que as rixas entre mim e minha esposa se tornaram constantes, descobrimos, nós ambos, que não havíamos nascido para um compromisso de tão alta responsabilidade. Não desejando, porém, romper com as conveniências sociais, seguimos indiferentes pelos rumos que nos agradavam.

Voltei às aventuras que, aliás, não haviam sido interrompidas, comprazendo-me, muitas vezes, em colher a flor da juventude irresponsável na haste das minhas seduções bem-programadas, à semelhança de pássaro imprevidente que via no fruto somente a casca amadurecida, sem pensar na polpa que, no caso, são os sentimentos de cada criatura.

Deixava-me atrair pela forma, lesando a consciência das várias vítimas sobre as quais tripudiei, abandonando-as irremissivelmente, logo depois, nas ruas da miséria...

A vida se me fez tediosa, cansativa, sem sentido.

Materialista confesso que era, por conveniência e comodidade, fechei os ouvidos a todo e qualquer alvitre para o bem, encerrando-me numa frieza conveniente em torno das questões religiosas, o que me constituiu um verdadeiro sonífero que me deixava num estado de prostração somente estimulada quando, telepaticamente, era acordado pelos meus semelhantes espirituais para novas e apetitosas incursões no campo do prazer.

Assim, continuei por muito tempo.

Aos cinquenta e um anos, sentindo o cansaço e as marcas iniludíveis dos excessos desenhando-se na minha face e no meu corpo alquebrado, que eu tentava manter a rigor de dieta alimentar cuidada e de ginástica bem-elaborada, encontrei uma jovem de vinte anos por quem me apaixonei alucinadamente. Sem excogitar dos seus sentimentos de menina e mulher, seduzi-a com os recursos mediante os quais me habituara a comprar consciências irresponsáveis e criaturas dependentes que navegavam contra a correnteza na miséria econômica. Ela se me entregou, flor colhida pelas patas de um animal, em toda a pujança da sua mocidade, certamente sem me amar. E porque a seduzi e com ela vivi as noitadas de bordéis, adentrando-me em confidências e considerações sobre sua vida, dois meses depois de convivência ela terminou numa crise de emoções profundas e relatou-me o seu drama. Filha de mãe solteira, nunca soubera quem era o pai. A mãe suicidara-se de vergonha, segundo constava, porque o homem que a houvera infelicitado, quando a percebeu grávida expulsou-a, impiedosamente, dos seus sentimentos, sem qualquer responsabilidade. Ela viveu até que a filha nascesse. Quando esta completou três meses, sentindo-se espezinhada pela miséria, colocara a criança numa casa de caridade e suicidara-se depois, tendo tido antes o cuidado de endereçar ao homem que a desgraçara uma carta, na qual relatava toda a sua desdita.

Tocado pelo drama rude, perguntei se ele nunca soube quem havia sido este homem, e ela respondeu que o ignorava totalmente.

Não sei por que, no entanto, ocorreu-me a ideia de indagar-lhe qual era o nome da sua genitora.

Assim o fiz e, quando ela respondeu, descobri que aquele homem infame era eu. Eu era o seu pai!...

Sentindo-me abjeto e asqueroso, dominado por um desequilíbrio que não sei explicar, ali mesmo, ao seu lado, fui recolhido pela morte, reencontrando, ao despertar, aquela a quem eu espezinhara cruelmente...

As aflições que me dominaram, o escândalo que ficou armado, a família envolvida no drama, os comentários jocosos, as ironias, a amargura da esposa e dos filhos e o ódio que deles se apossou contra mim, tornaram-se-me dardos venenosos que se me cravavam na alma, fazendo-me ulular num sofrer ininterrupto, como se todas as forças desagregadas do Cosmo tombassem sobre mim e aquela pobre mulher a quem eu matara indiretamente, que se me agarrava, num misto de amor e de desespero, por sua vez perseguida por verdadeira súcia de malfeitores desencarnados que a mim também atenazavam, gerando um quadro de difícil apresentação para os que se encontram mergulhados nas formas materiais.

Tenho sofrido nesses últimos quinze anos ininterruptamente, como não se pode imaginar.

Vinha padecendo de indescritíveis desesperações porque, além das minhas dores morais, os meus comparsas do bordel, a quem eu me afeiçoara e que de mim se utilizavam para o jogo da sensualidade na volúpia da concupiscência, mantinham-se igualmente ligados a mim em conúbio asfixiante e interminável.

Foi nesse período que luziu a misericórdia de Deus em meu ser e eu fui recolhido a um hospital de socorro, onde fiquei em tratamento por três anos, após o que, sem direito à reencarnação, que não a mereço, nem a saberia usar em meu benefício por enquanto, estou colocado em serviço num motel, que hoje minha filha dirige, com a tarefa de inspirar moças irresponsáveis que o frequentam, a que se liberem dessas injunções perniciosas e infelizes, nas quais desgastam a juventude e a paz, vinculando-se a processos de desagregação espiritual por tempo imprevisível.

Carpindo o meu arrependimento, numa consciência agora lúcida, procuro a reabilitação no mesmo antro, porém em moderna apresentação, em que delinqui mil vezes e onde perdi o corpo após a exaustão dos sentidos.

O sexo é feito para a vida com finalidades superiores que bem poucos sabem preservar. Exteriorizando-se pelos sentimentos e sensações é, todavia, fonte de emoções superiores e que constituem estímulo para a santificação e elixir de longa vida para a própria paz.

Criaturas da Terra, que vos sentis açuladas pelos desejos infrenes e bestiais da animalidade primitiva, parai antes que o acumpliciamento enlouquecedor produza terríveis lesões na alma das criaturas que vos servem de parceiros!

Renunciai à labareda crepitante de um momento e buscai a tranquilidade demorada de toda uma vida!

Melhor que se estereotipe na criatura a sede que um dia desaparecerá, do que o gosto azinhavrado da luxúria comprada, ou da sensação colhida pelos processos da sedução mesquinha, que somente amargura e fel colocam nos lábios do coração.

O sexo, que é instrumento de vida, tem sido cárcere de sombras, permanecendo, muitas vezes, como alçapão para a desgraça dos mais nobres ideais.

Tende cuidado, pois aquele que vos fala é alguém que tombou no fosso pestilento com as águas contaminadas, das quais ainda não se conseguiu libertar, asfixiando-se e sobrevivendo sob as penas da consciência culpada.

Se falei o melhor, não sei, mas, é o meu depoimento.

Melquisedec Aventino dos Santos

2

O CULTOR DO NADA

Não sei se sou um morto-vivo ou se me encontro vivo-morto.

Se morto-vivo, faltam-me a lucidez e as forças para agir, desde que não tenho a diretriz mental para conduzir-me e ser feliz. Se vivo-morto, o letargo que me invade não anula de todo o desejo de erguer-me e pensar com a força que destrua o pesado envoltório que me asfixia.

Morto, a morte não me aniquila, e sofro nesta noite sem um lume que dissipe um pouco a espessa treva que me invade por dentro.

Vivo, sofro a hibernação que é morte do movimento e algema da ação, impedindo-me de liberar-me do padecimento.

Não sei se sonho ou se penso.

Se sonho, é porque estou dormindo, mas se acordo, o raciocínio é um pesadelo que não cessa, arrojando-me de um para outro abismo feito de medo e de horror.

Nota do compilador:
Iniciada a nossa reunião mediúnica, pela psicofonia comunicou-se, em profunda angústia, o Espírito J., que se expressou, conforme transcrevemos.

Tento erguer o corpo, e são despojos apavorantes, desgastados na cova sombria onde me aturdo.

Entrego-me à situação, e sou símile do que era antes de morrer.

Não ouço um ruído. Falo, grito, impreco, e nenhum som rompe o silêncio cruel em que me aflijo. Calo, e o hórrido marasmo silencioso são vozes que me acusam sem palavras, fazendo-me com palavras reagir, sem espantar os espectros que vejo, que me agridem, mas não me temem, espectro que pareço ser ou em que me tornei.

Na lápide, eu vejo o meu nome, a data do meu nascimento e da minha morte e a torpe inscrição: *Requiescat in pace*.

Um torpor invade-me, como se fosse levar-me a um repouso sem paz, que a alucinação vence, irrompendo num pandemônio vulcânico que me arroja à fuga para lugar nenhum, lugar nenhum em que me encontro.

Creio no *nada*, porém esse *nada* vibra, sem que me aniquile na desintegração das moléculas que teimam em manter-me a personalidade e a individualidade visíveis...

Tangível, sinto-me, agito-me, e não tenho corpo.

Diluiu-se a matéria, não a vida. Ou se teria diluído a vida, e o remanescente da matéria manter-me-ia num perfeito modelo do que eu fui?

Não sei...

Ajudai-me!

Morto, vivo como se não houvesse morrido.

Vivo, estou pior do que morto, pois que ninguém me vê, ninguém me ouve, nem eu a ninguém...

Os conflitos me avassalam e nada sei em torno do que se passa.

É noite fora, demorada, todavia, é noite dentro de mim.
Vós que ouvis e vedes, dizei-me se estou morto na vida ou vivo na morte?
Sonho, no sono em que estou, ou é um pesadelo na realidade da lucidez?
Eu sou: eis tudo. Ou nada serei?

❀

Agora, eu sinto mais, já ouço, enfim, dizei...

❀

Na primeira pausa que se fez natural e espontânea, mediante a cooperação vibratória e amorosa dos membros da reunião e sob a inspiração dos benfeitores desencarnados, falamos-lhe da realidade da vida após a morte, das circunstâncias que o envolviam e do auxílio que ora lhe era oferecido.

Conforme os dados fornecidos pelo comunicante, havia passado 27 anos desde o momento da sua desencarnação, na Terra.

Emulamo-lo à confiança irrestrita em Deus e convidamo-lo ao repouso, com que se lhe restaurariam o equilíbrio e as forças para o novo despertar e as atividades abençoadas de sua recuperação espiritual.

Antes de adormecer, o nosso irmão J. proferiu as palavras do último parágrafo da sua mensagem.

❀

Uma semana depois, no momento reservado às comunicações dos sofredores, na reunião de socorro espiritual, o irmão J. volveu ao nosso convívio, resultando na página que segue.

O DESPERTAR

"Opresso o peito, eu me levanto, mas estou deitado; caído, encontro-me de pé.

Atua dentro de mim a mente que não pensa. Penso eu, o vulto que não é a mente.

Oprime-me o peito que não tenho e desperto o cérebro que morreu.

Ouço sem ter ouvidos e falo na boca hirta que a morte silenciou.

Sonâmbulo que se agita, agitação que se imobiliza, ouço-vos sem vos falar e o meu eco nos escuta.

A campa que me asfixia se rompe e me liberta, mas, ao invés de mim, é um espectro que se levanta e assoma na minha mente.

Fecho os olhos e vejo, abro os olhos e não há luz.

Amanhece na noite, mas a treva devora o dia.

Vivo do nada e o nada se agiganta em tudo que eu vitalizei e não sucumbiu.

Ó vós que ouvis a morte! Vivos que atravessais a ponte da morte aniquiladora sem que os mortos vadeiem o rio para chegar até vós, acudi-me..."

D.[5] – Estamos orando, pedindo a Jesus que nos abençoe a todos, especialmente a você que necessita de renovação espiritual e de energias que lhe possam dar uma dimensão maior da realidade da vida.

---
5. D. – Doutrinador.

E.[6] – Que é a vida? Dizei-me! No momento em que se me imobilizou o corpo, deu-me a morte? Meu corpo seria um escafandro a prender a vida ou uma luva a impedir a mão de se libertar. Que é a vida?

D. – A vida é a contínua experiência da alma, num processo com o corpo de carne ou sem ele. A matéria faz parte da vida, todavia a vida é a alma.

E. – Será a carne que faz a alma, já que esta começa quando o corpo surge? Como pode a alma anteceder a mente?

D. – A alma antecede o corpo, pois vive sem ele, enquanto este não prescinde dela para viver. A alma é a mente espiritual exteriorizando-se pelo cérebro. A mente com um corpo é a criatura, a mente sem o corpo de carne é uma alma que passa para o Mundo espiritual com nova indumentária. Denominamos esse novo envoltório de perispírito, porque a mente é Espírito, e o Espírito, não obstante a morte, continua sua jornada evolutiva.

E. – Morrer, todavia, é apagar?

D. – Não. Morrer é perder somente o corpo carnal, que serve de instrumento à experiência para a vida da Terra.

E. – Quereis dizer-me, então, que vivo depois da morte?

D. – Exatamente. Vive, sim, sem o corpo de carne.

E. – E como vos falo de além da morte?

D. – Porque se utiliza de uma pessoa sensível, a quem o Espiritismo denomina de médium, isto é, pessoa que tem a faculdade de emprestar o corpo, qual uma máquina, para que, sob a sua influência, como de Espíritos outros que já

---
6. E. – Espírito.

perderam o corpo, possam movimentá-la, falar-nos e, por meio dela, ouçam a nossa voz.

E. – Mas eu sinto; não ouço, apenas.

D. – É claro.

E. – Não somente falo; volto a viver como antes...

D. – É natural. A morte não interrompe a vida.

E. – Tenho emoções e pulsa em mim tudo quanto dormia...

D. – É compreensível. Despindo-se da roupagem, não destruiu o ser que a utilizava.

E. – Agora, exteriorizo-me! Falo e ouço... Será isto a morte?

D. – Sem dúvida que isto é a vida após o fenômeno da morte.

E. – Até há pouco eu gritava sem ouvir, ansiava por movimentar-me na tremenda hibernação onde lucilava débil razão...

D. – É compreensível. Quem aguarda para além da morte o nada, mergulha no *nada* que vitalizou sem aniquilar a vida que paira em triunfo.

E. – Onde estou?

D. – Num grupo de pessoas religiosas que se reúne para orar pelos que partiram da Terra sem saírem da vida.

E. – Onde? Na minha sepultura?

D. – Não. Num Templo, numa sala de orações, onde várias pessoas estão buscando auxiliá-lo.

E. – Detesto religiões.

D. – Por isso você ficou perturbado, em face da negação que se propôs.

E. – Sou apologista do nada.

D. – Por isso você mesmo tem estado perdido no tempo e no espaço até este momento.

E. – Que Religião é esta, em que se fala com os *mortos*? Que Templo é este, no qual a morte vai devorada pela vida?

D. – Você nada leu, certamente, acerca do Espiritismo, pois não?

E. – De fato.

D. – Como poderia você entender ou negar alguma coisa que nem sequer pesquisou?

E. – Estou perguntando, somente.

D. – E eu lhe estou respondendo por etapas.

E. – Em que lugar me encontro?

D. – Num Templo Espírita.

E. – Não entendo nada, confesso.

D. – À medida que se repitam os nossos encontros, a nossa conversação, você terá sua mente aclarada. Sua visão, que durante algum tempo esteve toldada pela perda do ambiente, facultar-lhe-á melhor entendimento, mais ampla compreensão mental lhe advirá.

E. – Se estou morto...

D. – Sim, mas somente em relação ao corpo físico.

E. – Vejo a minha campa.

D. – Sem dúvida, porém esta é uma visão mental, que se lhe fixou.

E. – Dizeis que estou numa sala de orações e sinto-me noutro lugar. Não posso estar em dois lugares.

D. – E não poderia estar, realmente. Explico-lhe. Você foi trazido aqui...

E. – Por quem?

D. – Pelos Espíritos superiores que o protegem.

E. – Outros mortos?

D. – Outros vivos, sim, depois da carne. Vivos quanto você, e mais do que nós outros. Eles afirmam, e provam, demonstram a vida.

E. – Por que só agora?

D. – Porque, agora, você se faz dócil à ajuda de que necessita.

E. – Por que só agora? Depois de uma eternidade?

D. – A vida continua. Você prossegue vivendo. O mais não importa.

E. – Quanto tempo! Por que só agora?

D. – Não se impaciente e aproveite a mensagem, o momento. Este agora é o seu despertar para uma nova concepção da vida.

E. – Como?

D. – Antes você se recusava sempre a aceitar a verdade. Você se manteve numa posição niilista e viveu o nada. Acreditava-se certo, não se permitindo sair desta posição. Não dava margem à vida.

E. – É verdade, é verdade!

D. – Somente após muito sofrer.

E. – Sofrer, sim, mesmo depois da morte.

D. – O problema da morte e o termo da morte são ainda mal colocados entre os homens. A morte não é o fim como você e muitos outros pensam. Não existe a morte, em tais termos. A vida continua. Existe somente transformação. Morrer é mudar de posição vibratória. Mesmo o corpo que baixa à sepultura, não morre. Decompõe-se em milhares de vidas, em formações de novas vidas. A sua energia desenvolve-se e volta a animar outros seres. O Espírito, que é eterno, passa para o plano semifísico, com outra dimensão semifísica, desdobrando a vida.

E. – Que fazer? É tão complexo tudo isto! Que fazer?

D. – Não se preocupe. Agora, ore. Tome uma postura religiosa, íntima, sem misticismo, e volte-se para a *vida*, na direção do Pai Criador. Lembre-se da figura de Jesus.

E. – Ensinai-me a orar, ensinai-me a orar...

D. – Fale com humildade, das suas necessidades, a Deus, Isto é uma oração. Não use fórmulas, sim o sentimento.

E. – Dói-me o peito.

D. – Vai aliviar.

E. – Minha mente está cansada.

D. – Vai revigorar-se, tenha certeza. Pense em Jesus.

E. – Tudo me é nebuloso...

D. – Você ouviu falar de Jesus?

E. – Quem não ouviu?

D. – Pois, volte a pensar n'Ele agora.

E. – Está tão longe.

D. – Não faz mal. A Seu serviço nós nos encontramos. Aqui agimos sob Sua diretriz.

E. – Com que interesse?

D. – O de amar, esclarecer e iluminar a nossa alma, auxiliando os outros.

E. – Só isso?

D. – Sim, e nisso nos consiste a felicidade. Entender a vida, sentir a vida, sobrepujar as paixões inferiores, vencer a morte – eis a nossa visão da felicidade.

E. – Então, pensam somente em si.

D. – Não. Se pensássemos em nós, apenas, não estaríamos preocupados com você. A felicidade não é individual, é o resultado do bem geral.

E. – Nunca acreditei que alguém se interessasse por outrem sem vantagem pessoal.

D. – Mas há uma grande vantagem nisso tudo: fruir o amor. Só que não é um interesse na dimensão egoísta tradicional.

E. – À qual me habituei e foi colocada no meu caminho.

D. – Nessa dimensão que você aceitou, é claro, está errado. Temos um interesse, e seria loucura se não pensássemos na iluminação da nossa própria alma.

E. – A Religião não manda pensar primeiro no próximo?

D. – Certo, certo! Ninguém pensa no próximo se não estiver esclarecido, portanto, iluminado. Ajuda quem tem condições...

E. – É isso. Ajudai-me a orar!

D. – Você já vem recebendo essa ajuda. Vamos dizer a Deus, que já conhece as nossas necessidades; a Jesus, que é o nosso Mestre, o de que ora necessitamos.

E. – Estou tão cansado!...

D. – Senhor Jesus, Amigo Divino das nossas almas, dos aflitos e necessitados! Somos carentes, todos nós. Caminhamos em busca da Tua luz, da felicidade, da paz, do entendimento. Abençoa-nos, Senhor, para que possamos encontrar e seguir destemidos a estrada luminosa do auxílio! Abençoa-nos, para que a nossa mente se aclare, o nosso coração se encha de harmonia e possamos entender a vida. Dá-nos paz, Senhor!

Nota do compilador:
O irmão J. foi afastado e conduzido pelos benfeitores espirituais com novas disposições, ora dormindo para despertar em melhor clima, em paz.

3

O OBSESSOR

O jovem J. C. enfermara de uma problemática psíquica. Sua genitora encontrava-se internada em sanatório psiquiátrico fazia muitos anos com o diagnóstico de esquizofrenia. O jovem J. C. apresentou durante anos um comportamento perturbador: instabilidade emocional, desinteresse pelos estudos, falta de fixação intelectual, sonolência... Ao completar dezenove anos deu-se conta de uma formação congênita anormal no aparelho genésico, porém sem maior gravidade ou outras consequências negativas. Subitamente, foi acometido de depressão. Em tratamento psiquiátrico, sua enfermidade foi diagnosticada como psicose maníaco-depressiva. Passou a frequentar o Hospital X, nesta cidade, indo pela manhã e retornando à noite. Praxiterapia, entrevistas, sonoterapia e alguma outra medicação foram-lhe aplicadas.

Solicitando auxílio dos benfeitores espirituais para o caso, eles trouxeram a Entidade que se expressou, conforme transcrevemos.

"Sou chamado obsessor e a palavra é-me aplicada como chancela infeliz, definindo-me como um malfeitor, um desalmado, um covarde perseguidor de uma pessoa boa, vítima da minha insânia...

Não nego a loucura de que me encontro possuído, nascida de um ódio que me combure, como se eu fora uma fornalha ardente, queimando-me por dentro.

A monoideia do desforço devora-me e todo eu vivo fixado a este desejo de vingança, alimentando-o, como se ele me propiciasse paz.

Tudo quanto penso se refere aos meus desafetos; minha antiga esposa e meu filho do passado...

É fácil solicitar-se perdão para alguém que fez o mal a outrem. Quando, porém, esse mal nos é feito, muda-se a paisagem, é diferente a posição para perdoar.

Fala-se muito em Espíritos desencarnados, mas, quase sempre com certa indiferença.

Muitos asseveram crer neles; todavia, não se dão conta que somos seres reais, com emoções, discernimento, inteligência, e não apenas algo concebível só pela imaginação, portanto, coisas fáceis de serem esquecidas ou de poderem ser ludibriadas.

Nós somos gente!

Quando pretendem dialogar conosco, os homens assumem posições falsas, aparentando uma superioridade moral que nem sempre possuem, usando uma verbosidade vazia, na qual não creem, supondo enganar-nos... Olvidam que temos um *corpo*, uma fisiologia, cada um a sua própria psicologia, seu passado e suas tendências...

Porque muitos não nos *veem* ou não nos *ouvem* diretamente, não conseguem entender-nos, adotando uma crença passiva: aceitam-nos, momentaneamente, mas não nos conceituam com a necessária atenção ou o compreensível respeito, que se devem as criaturas todas umas às outras.

Cada Espírito é um *feixe de energia* individualizada, com suas conquistas inteligentes e suas dívidas infelizes perante a Consciência Divina.

Por que, então, com leviandade, como ocorre no meu caso, tacharam-me de obsessor?

Veem o infeliz aturdido e sabem que ele me sofre a pertinaz influência com que espero destruí-lo, levando-o ao suicídio, a fim de aguardá-lo aqui, onde prosseguirei com o meu desforço.

Ninguém cogita das razões que me impelem a esta desdita. Também sou infeliz, porquanto não tenho paz, estou estacionado na meta da vingança em que me degrado.

Eu sei, sim, que a Divindade fará justiça... Na minha desesperação, atiro-me sem paciência na cobrança e não me preocupo com as consequências da minha volúpia vingadora. Sei que estou quase louco...

Ele, no entanto, traz as matrizes do seu crime, quanto a sua genitora, porquanto continuam juntos, como no passado, e, unidos, devem pagar o tremendo delito que praticaram contra mim.

O criminoso renasce com as marcas do crime a fim de ressarcir melhor, não se podendo evadir da justiça que o busca incoercivelmente.

Não sou, desse modo, obsessor; não me sinto como tal.

Obsessores foram-me eles, que me arrancaram do corpo em hediondo conciliábulo, que culminou num homicídio de que não consigo esquecer.

Eu era médico próspero em São Paulo. Fui esposo e pai dedicado. O século estava por começar. Na noite de 31 de dezembro, após as libações e a ceia rica, recolhi-me ao leito, cansado.

Meu filho, que contava 20 anos, e minha mulher, que me tinham na conta de avarento, resolveram pôr termo à minha existência. Tomando de um travesseiro de plumas, ela me asfixiou, em nosso leito conjugal, enquanto ele me segurava com vigor os braços e o tórax até que a morte se consumasse.

Debati-me como um animal ferido, lutando desesperadamente por ar, sem palavras, com grunhidos lúgubres, enquanto, histéricos, eles riam, gritando:

– Morre, víbora peçonhenta; morre, miserável!...

Não posso, ainda hoje, ter ideia do tempo que durou a minha agonia.

A angústia transformou-se em ódio, o desespero em necessidade de vingança... Tudo me era um pesadelo hediondo, inenarrável.

Perdi a consciência por largo e tormentoso período, para recobrá-la e perdê-la inúmeras vezes. Era um verdadeiro inferno o que me passava. Sofria sem cessar. Não conseguia compreender o que acontecera.

O despertar além da morte não é tão fácil como pode parecer.

A morte é um processo cirúrgico total, dorido, e o acordar é um pós-operatório muito grave.

A verdade é que me dei conta do acontecido, um *infinito* de tempo depois.

Na Terra, ninguém soube do crime. Minha morte fora considerada como natural, uma apoplexia.

Enlutados, eles inspiraram compaixão e nem sequer foram incomodados pela justiça. Todo o patrimônio que reuni, caiu-lhes nas mãos dissipadoras.

Nós três, todavia, sabíamos de tudo, e não conseguíamos esquecer. Por menos eles desejassem, a minha máscara de surpresa, de dor e ódio, à hora do crime covarde, se lhes fixara na memória, como se fora impressa a fogo. O transcorrer do tempo mais lhes avivava as cenas finais, fazendo-os atormentados.

O prazer, a avidez da posse, cansam ou açulam maiores ambições, dependendo de quem lhes sofre as constrições.

A pouco e pouco se sentiam frustrados. Buscando fugir da consciência, entregaram-se a excessos, que lhes minaram as poucas resistências morais, culminando numa união incestuosa, desventurada.

Ela, exaurida pelos abusos, enlouqueceu; o filho atirou-a num manicômio, onde veio a falecer poucos anos depois, em condição animal, primitiva.

A seu turno, o parricida foi acometido por complexo de culpa legítimo, e, não suportando, a consciência veio para *cá*, vitimado por uma demência neurótica que o impediu de alimentar-se, de cuidar-se...

Ao redescobrir a vida após a morte e, identificando-a severa, impossível de ser ignorada, segui-lhes o final das existências execrandas. Não sabia como me desforrar do mal que me fizeram.

Acompanhava-lhes a consumação das forças com agrado.

Quando acordaram para as realidades do Após-túmulo, o desespero foi-lhes tal que se não puderam conscientizar, permanecendo alucinados...

O meu ódio, então, mais cresceu por não os poder atingir quanto desejava.

Nesse ínterim, fui convidado a participar de estudos sobre a vida e as técnicas de justiça, promovidos por verdadeiros guardiães da nossa felicidade, que me arrancaram da situação em que me encontrava, a fim de lenir-me com a esperança de uma bem-planejada quitação da dívida.[7]

Primeiro ela voltou à Terra, pelos idos dos anos 30... Assinalada pelos desequilíbrios antigos, perverteu-se cedo. Nesse clima de degradação ele renasceu, há menos de vinte anos...

A partir de então comecei o meu trabalho, que pretendo concluir com êxito...

A memória, no mundo, em relação ao drama alheio, é sempre fraca.

O homicida destrói uma família. Todos o odeiam, desejando linchá-lo. Recolhido ao cárcere, lentamente os seus hábeis defensores tornam-no 'vítima da sociedade'; explicam, justificam e os transformam, não poucas vezes, em heróis. Escreve-se sobre eles, ou autobiografam-se, passando a ser personagens centrais de enredos cinematográficos ou de televisão, auferindo lucros e recebendo compaixão de quase todos.

E suas vítimas? Olvidam-nas. Quem morre, perde a razão.

---

7. O comunicante se refere a um dos muitos núcleos espirituais inferiores onde as Entidades perversas supõem poder travar luta contra o bem, adestrando e *negociando* com futuros perseguidores frios, que se fazem hábeis nas técnicas das obsessões de vária ordem. Ditos irmãos, infelizes e rancorosos, apresentam-se como "anjos da justiça e da salvação", iludindo outros desencarnados, que passam a explorar e conduzir, invejosos das criaturas humanas.

Às vezes ocorre o contrário: muitos maus, quando morrem, tornam-se amados, nobres, santificados, recordados com emoção...

Não cá! Aqui ninguém foge de si mesmo, da verdade, da justiça.

Será necessário dizer mais?! Não sou, portanto, obsessor. Sou justiceiro, braço da lei. Farei justiça, livrando a Terra dos dois monstros malsinados que me trucidaram, e, tendo oportunidade, repetiriam o crime contra outros."

❋

Concluída a sua narração, ora comovente, ora marcada por colocações meramente sofistas, em que a Entidade, que denotava uma boa formação cultural e moral, tornara-se vítima de lamentável loucura, o médium-doutrinador expôs-lhe a argumentação espírita, fundamentada no Evangelho de Jesus, demonstrando o grave erro que cometia.

Foi-lhe explicado que o perseguidor é alguém que se encontra em sofrimento, perseguido por distúrbio grave da emoção, competindo-lhe, já que reconhecia a legitimidade das Leis da Soberana Consciência, entregar os seus desafetos à vida. Como ele sabia que ambos reencarnaram sob injunções de dor e provação, não era justo tornar-se cobrador das suas dívidas, providência essa que já se encontrava em curso, graças à Previdência Divina.

Passada a fúria da vindita, a que se reduziriam os seus objetivos quando se consumassem os planos?

Elucidou-se que a sua desencarnação, em circunstâncias trágicas, tinha suas raízes em compromissos inditosos de vidas anteriores, e que os seus familiares, invigilantes se fizeram, sem condições reais, "braços da lei". A Justiça de Deus tem os seus estatutos e métodos sem a necessidade da utilização de outros homens que tombem, quando se transvestem em mecanismos de justiça, incursos em outros graves erros, que serão chamados a regularizar.

Solicitou-se que liberasse suas vítimas por algum tempo, meditando e observando os labores da caridade fraternal, em nossa Casa, facultando, aos desafortunados familiares do passado, uma oportunidade de redenção por meio do amor, pelo bem que pudessem praticar, renovando-se.

As leis são de justiça, mas também de amor e de misericórdia. Como o amor "cobre a multidão dos pecados" por facultar a realização do bem, que oferecesse a ocasião que não tivera, a fim de que não viesse, por sua vez, a sofrer o impositivo superior que, no momento próprio, coloca o basta!

Outras colocações doutrinárias foram apresentadas. Fortemente amparado pelos benfeitores espirituais, o irmão Antônio resolveu por conceder uma trégua e ficar observando as realizações espíritas da Casa cristã.

Ao desligar-se do médium, chorava copiosamente.

No dia seguinte, o jovem J. C. apresentou evidentes sinais de melhora psíquica. Transcorridas duas semanas, fizeram-no receber alta, completamente curado, com surpresa dos seus médicos.

❖

Ao fim de 16 dias após a primeira comunicação, ei-lo que volta, renovado e confiante, numa situação bem diversa da primeira, consoante transcrevemos do gravador. (Nota do compilador)

AMANHÃ

É certo que retornei. A vida são as suas condições a que nos devemos submeter e não as nossas exigências, tentando dominá-la.

Agora, realmente compreendo os desígnios superiores. Venho aprendendo com a abnegada mentora[8] a real diretriz para poder alcançar a paz íntima, a felicidade.

O ódio consome quem o conduz.

O desespero malsina aquele que o alimenta.

A vingança é ácido queimando por dentro o que a experimenta.

Estou procurando esquecer, buscando amar.

Lamento o tempo mal-aplicado, na condição de indigitado perseguidor.

Ainda me é difícil mudar de atitude mental e transformar-me.

Anseio por edificação íntima. Outros amores me esperam. Minha mãe visitou-me, acenando-me esperanças.

Sentir-me-ei em tranquilidade, quando eu puder, realmente, auxiliar aqueles que me tornaram revel por tantos anos.

Não os perturbarei mais.

O meu egoísmo ora me pede que me cuide, isto é, que eu saia do caos e ascenda.

Há bênçãos não imaginadas, aguardando-me.

Não sou, sequer, o filho pródigo, que retornou envergonhado, humilde, arrependido à casa do genitor.

---

8. Refere-se ao Espírito Joanna de Ângelis.

Sinto-me envergonhado, apenas. Com esforço e oração espero lograr as outras qualidades para recomeçar.

Confio no amanhã. Marcho ao seu encontro.

Sou muito reconhecido às palavras aqui ouvidas, como lições libertadoras, à paciência e às preces.

Por favor, envolvam-nos, a eles e a mim, na claridade das suas rogativas a Deus.

Jesus nos dê Sua misericórdia. Até breve!

Antônio Viana

Nota do compilador:
O jovem J. C. prossegue curado, trabalhando. Sua genitora vem recobrando a lucidez lentamente.
Os instrutores espirituais nos informaram que o irmão Antônio Viana está em tratamento e em preparação, num Posto de Amor, no Além, para reencarnar oportunamente...

4

Depoimento

Estive aqui por três vezes antes. Agora desperto para uma realidade que combati demorada, tenazmente. Após um sono reparador, no qual os meus arquivos mentais transformavam-se num *cinemascópio* dentro de mim mesmo, conscientizei-me, sendo justo que agora me predisponha a este depoimento.[9]

O lado negativo e infeliz do homem, seja ele corporal ou espiritual, é uma decorrência das suas próprias atitudes. Invigilante, desencadeia sobre a própria cabeça as torrentes de lavas vulcânicas que, em vez de o consumirem, o alucinam, mantendo-o em demorada agonia de que só a contributo de esforço e dor consegue libertar-se.

É o meu caso.

Combati-os com maldade e vigor. Usei o petardo do ódio e fui abençoado pela irradiação do amor. Ergui a lança da agressividade e defrontei-me com o escudo da paz. Levantei a espada da separação e vi brilhar o elmo do

---

Nota do compilador:
9. O amigo não se identificou.

entendimento. Tentei semear abrolhos e vejo-os enflorescidos sob os meus pés sangrados.

Antes de seguir à reeducação, roguei aos benfeitores que acorreram a acudir-me, oportunidade de entretecer algumas considerações sobre o ódio e o amor.

O ódio é enfermidade; o amor é saúde.

O ódio destrói; o amor edifica.

O ódio consome; o amor sustenta.

O ódio enlouquece; o amor dulcifica.

O ódio combure; o amor acalma.

O ódio é guerra; o amor é paz.

O ódio inquieta; o amor harmoniza.

O ódio vitima; o amor levanta.

O ódio rebaixa; o amor sublima.

O ódio é do homem; o amor é de Deus.

Porque o homem é primitivo, encontra-se enfermo; e porque ainda imperfeito, é abrasador.

Rumando para Deus, domina-se sob a força do amor e supera a injunção da violência desagregadora de que é vítima.

O ódio passa; o amor permanece.

O ódio é rápido; o amor é demorado.

Somente pelo amor o ódio vai vencido, porque o ódio desencadeia violência e agressividade.

A parede protetora contra este elemento destrutivo é feita pelo algodão do amor, que não revida o golpe, mas o dilui, por deixar-se penetrar, amortecendo a força avassaladora da destruição.

Mesmo quando a violência estoura como bomba, incendiando tudo em derredor e tem-se a impressão de que

Depois da Vida

nada restará, o amor vem, suavemente modifica a paisagem e tudo se refaz.

Quando as forças telúricas desabam sobre a Terra e aniquilam, devastando florestas, paisagens e vidas num só golpe, o amor, de mansinho, nas mãos do tempo, tudo reconstitui, sem deixar cicatrizes ou marcas por onde a destruição passou.

Mesmo que a força do ódio e o gigantismo da violência dominem temporariamente, fazendo prever-se a vitória da loucura, não desanimem os homens.

Sob a terra calcinada o húmus do amor reverdecerá de esperanças a vida, e a paz predominará.

É o meu depoimento.

Perdoem os amigos a minha doença e a minha loucura antes do demorado despertar.

Que sirvam estas minhas palavras para os alertar da decepção diante da máscara do ingrato e da frivolidade do leviano, porque o amor sempre vence hoje ou depois, pouco importando o tempo que se faça necessário.

O amor é o bem que do bom sentimento tira o melhor a benefício do bem geral.

É só.

5

Notícias do Além

Não sei qual seria a maneira correta de introduzir-me nesta reunião.
Na impossibilidade de agir como exige a tradição, eu saúdo a todos, pedindo a Deus misericórdia para os infelizes.

Meus pais, aflitos, pedem notícias de mim, procuram-me por toda parte, exigem que eu lhes comunique como estou passando, desejam uma evidência da continuação da minha vida.

Desesperam-se porque tardam as minhas cartas... Esperam que a morte seja um trampolim para um mundo estranho, abstrato, talvez sobrenatural. Não se dão conta, como também não me dei, de que morrer é pegar um veículo em desabalada correria que nos arroja de chofre noutro lugar, sem nos arrancar da vida, atirando-nos numa dimensão poderosa e diferente que a mente antes não pôde conceber, mas que, defrontando-a, não pode negar.

Pedem-me que lhes diga se é verdade que eu prossigo vivendo e gostariam que eu retornasse como um anjo para lhes incensar as vaidades pessoais, tornando-os privilegiados, diminuindo-lhes a responsabilidade no insucesso de que fui vítima.

Reconheço a minha imprudência, constato a minha miséria, mas não posso descartar que tenho sido vítima da educação e do meio onde vivi.

Meus pais deram-me tudo. Educação bem-cuidada, liberdade, amigos e dinheiro, só não foram pais... Eu pude desfrutar de regalias, mas não pude desfrutar de uma família. De cedo, os vícios e as dissipações sociais que eu encontrei em casa passaram a tomar parte nas minhas horas. Como os vícios sociais constituem motivo de projeção na comunidade, eu me projetei. Mas, aos vinte e três anos, a minha projeção se apagou no acidente de um *Porsche* depois de uma ingestão de drogas além da dose habitual.

Que notícias eu posso dar? Dizer que despertei como um sátrapa, recolhido a um hospital onde a dor, nivelando os Espíritos, era também o meu quinhão da vida? Relatar o que tem sido este tempo sem tempo que o calendário da Terra não pode representar?

O arrependimento toma uma dimensão que se perde nas medidas habituais. Por isso, o vulgo diz que "se o arrependimento matasse"... No entanto, a muitos aniquila o corpo, a outros tantos apaga a lucidez.

Eu diria a todos os pais, a todos aqueles que sentem saudade dos que *viajaram para cá*, que há um padrão de avaliação de como se encontram os que a morte conduziu para a realidade da vida. A conduta que tinham, as ações que praticaram, o comportamento que se permitiram – eis os documentos de identificação para receber aval para a felicidade ou algema para a desdita.

Muda-se de lugar, porém não se muda de estado íntimo.

E porque se encontram pessoas queridas que nos aguardam com lágrimas de júbilos quando aportamos no Mundo espiritual, de maneira nenhuma este amor modifica a paisagem em sombra de quem enxergou o bem pelas lentes do mal, ou perdeu a oportunidade de agir corretamente. Não há critérios de exceção, nem regimes de privilégios.

Todos nós despertamos, no Mundo dos Espíritos, com o cabedal que trouxemos do mundo dos homens. Somente a conduta bem-vivida e as ações bem-delineadas constituem patrimônio de felicidade para os que a morte não consumiu.

Sem desejar enviar uma mensagem de desencanto, eu gostaria de dizer aos meus pais e a quantos esperam a prevalência de novidades e a caracterização de júbilos infindáveis pelos que morreram, que se resguardem no discernimento do equilíbrio, e, meditando sobre o que foram os seus amores, compreendam que permanecem iguais no esforço por melhorar-se, se se encontram lúcidos, e na redenção por evoluir, se se encontram agoniados sob os látegos das próprias aflições...

Francisco Ângelo de Souza

6

O TRIÂNGULO AMOROSO

A minha é uma experiência de atualidade, assinalada pelos condimentos da vasta rede de comunicações e de infortúnios.

Fui mulher, na última reencarnação, na Terra, e como tal padeci os tormentos de uma vida em soledade, anelando pelo amor como o sedento pela abençoada linfa, aguardando o amor como o náufrago anseia pelo porto que lhe dará repouso e paz.

A vida, no entanto, na sabedoria das leis que traçam a rota dos destinos, havia-me destacado para a caminhada solitária da redenção, que eu não soube ou não quis compreender.

Fruí, nas horas mais difíceis da existência, a imerecida ventura de conhecer a fé reveladora dos Espíritos. Não obstante, acoimada pelas ilusões e atormentada pelos problemas do passado, deixei-me arrastar à tormentosa aventura, da qual fui expulsa pela injunção da desencarnação violenta...

Reconheço, para o meu próprio desar, que o remorso não me basta e, para o meu erro, a compaixão alheia não se me faz suficiente, como recursos que possam amainar o tormento que me estruge na alma e apagar a labareda crepitante que me fez secar o rio das lágrimas, tornando-me profundamente infeliz.

Tudo corria normalmente, ou me parecia normalmente transcorrer. Pelas minhas percepções mediúnicas, eu sabia no íntimo que o passado dissoluto me engendrara uma vida de tristeza e de reparação a benefício pessoal. Porém, inspirada pelas leviandades em volta, e apesar de advertida pela severidade das lições do Cristo, acalentei no mundo interior amores impossíveis, até o dia em que o vi por primeira vez.

Chegava-me como um sonho bom e se me apresentava como um rei que fosse aguardado demoradamente no seu carro de ouro e de poder.

O espírito sequioso de ternura deslumbrou-se, e o corpo que anelava por carícias passou a estrugir de ansiedade insopitável. Era, no entanto, tarde demais para mim, em razão dos diversos compromissos a que ambos nos encontrávamos atados.

A injunção divina, inexorável, ligara-o pelos vínculos matrimoniais a outra mulher que o amava e a quem, a seu turno, ele também amava. A convivência, porém, essa crua perturbadora da paz dos fracos, aproximou-nos até o limite de uma desesperação mal refreada. Fruindo da sua convivência, descobri que já nos amáramos antes, mas não entendi que o amor, quando chega comprometido, é punição da lei a quem o desrespeitou, não sendo facultado, sob pretexto algum, reatar o liame, ilicitamente, pesando na consciência como adultério infeliz, embora disfarçado de necessidade afetiva.

Depois da Vida

Os diálogos demorados, as reminiscências não apagadas na memória, despertaram-nos e, quando nos demos conta, havíamos delinquido.

O triângulo amoroso era um tormento para nós dois – e para a esposa que o pressentia sem o saber – na suposição de que ela ignorasse a nossa ligação pecaminosa e injusta.

Quem pode sorver a água do mar, na presunção de aplacar a sede, equivoca-se. Quem, sofregamente, procura a linfa e não sabe distinguir a água potável da contaminada, envenena-se. Foi o que me aconteceu.

Dizíamos amar-nos. Eu, invigilante, supus que lhe poderia diminuir a tristeza íntima e aplacar os conflitos que ele me relatava com lágrimas nos olhos, dizendo-se incompleto no lar, incompreendido pela companheira, necessitado de ternura, mas que procediam, sem dúvida, do seu passado espiritual...

Dei-lhe a minha vida em holocausto do sacrifício e deixei-me corromper pela sua ansiedade lúbrica, pela sua pertinaz e disfarçada obsessão do sexo.

Da invigilância que mantínhamos sobre nós mesmos, para aparentar equilíbrio, já que ele me asseverava ser incapaz de deixar a esposa, junto a quem assumira profundo compromisso e a quem estimava muito, passamos a negligenciar em nossos encontros, até que a realidade assomou, numa noite de desespero, provocada por altercação entre os dois, fazendo que ele, pusilânime e fraco, confessasse a nossa ligação infeliz, pensando em lealdade e coerência para com ela.

A pobre vítima – vítima que somos os três –, a mais indefesa, tresloucada e vencida, fundamente humilhada, ingeriu forte dose de sonífero para esquecer, transferindo-se do corpo mediante suicídio indireto, com que atravessou as águas escuras do Estige entre sombras e desesperação.

Assevera-se que o tempo tudo apaga, menos o crime não resgatado; que a esponja do tempo se encarrega de retirar do quadro de giz da vida o que está escrito, porém não limpa a consciência ultrajada pela certeza de haver delinquido.

Cessadas as aflições imediatas, seria então a hora de legalizarmos a nossa união, que ele habilmente soube protelar, a pretexto de dor, sob justificativas que pareciam lógicas e, no entanto, eram disfarces. Menos de um ano depois, confessou-me que não se ligaria comigo porque minha presença não lhe dava paz, fazendo-o recordar-se da outra, da tragédia...

A atitude que eu tivera em relação ao seu lar, poderia mais tarde ter em relação a outrem, asseverou-me, friamente. Após espezinhar-me, em um atrito infeliz, declarou-me estar apaixonado por outra. Foi a minha vez de sair do corpo, vitimada por *acidente cerebral*, que me devastou o organismo e arrojou-me no mar da realidade espiritual...

Descrever o que me tem sucedido nestes longos cinco anos de uma quase eternidade é tarefa gigantesca, porque as emoções só podem ser vividas, nunca descritas, pela impossibilidade de fazê-lo.

Humilhada, perseguida pelos fantasmas famanazes do Mundo espiritual inferior a que me submeti levianamente; vencida nos meus sentimentos de mulher, por injunção da consciência culpada, despertei em lamentável estado como vítima de vampirização cruel de que agora me liberto, graças à piedade do Senhor, a fim de procurar aquela que infelicitei, para juntas recomeçarmos a longa jornada no lar que ele erigiu prosseguindo em suas ilusões...

Impõem-nos as Divinas Leis que volvamos juntas, de modo que, nos braços dele, na condição de filhas enfermas, aprendamos fraternidade e redenção, ou alucinadas em nossa dor o convidemos à dignidade, à reparação.

Aqui venho, trazida por alma caridosa que vos orienta, para vos dizer: almas da Terra, tende tento! Cuidado com o barco das ilusões. Resguardai-vos do ópio do prazer momentâneo e fugaz, destruidor e demorado. Ninguém foge de si mesmo e não há dor mais doída do que a da consciência gritando: "Culpada! Culpada!". Eu nem sequer ainda encontrei a minha vítima... Sei que ela me olhará nos olhos dizendo-me, com razão: "Culpada! Culpada!"...

Apoiai-vos na luz clarificadora do Evangelho de Jesus, e se alguma alma querida vos aparecer no caminho, em injunção de dor e sombra, amai fraternalmente, porém não vades além desse sentimento. Sublimai o amor, porque não vos compensa o engano a que vos permitais. Só o amor, na sua essência pura e nobre, em relação à vida, dá felicidade, faculta paz, enquanto o prazer, com as pequenas concessões da ilusão, intoxica, enlouquece e mata.

Lembrai-vos da minha história, da minha experiência.

Margot de Montegui

7

Idealismo e realidade

Os benfeitores espirituais da nossa Casa sugeriram-me trazer-vos a minha experiência, certamente objetivando ser dela retirados proveitos oportunos.

Mourejei na seara espírita na minha última reencarnação.

Antes de assumir o corpo, recordava-me de várias experiências no Clero em etapas transatas.

Cientificado das minhas graves responsabilidades ante o ensejo novo que se me abria abençoado, comprometi-me com os promotores da minha futura realização, a caminhar na Terra com decisão e humildade na desincumbência de uma tarefa que, acima de tudo, liberar-me-ia das conjunturas dolorosas que me pesavam na economia moral.

Advertiram-me os benfeitores de que se demorariam na retaguarda; que o tentame, pela sua profunda significação libertadora, não seria fácil.

Eu anelara por conseguir de uma vez a libertação das algemas que me atavam ao passado e pedira, no campo da renovação, trabalho, sacrifício e provações.

Admoestado quanto ao pesado ônus que me seria exigido, não escamoteei a verdade, afirmando que a oração seria o meu refúgio, a caridade o meu estímulo e o amor ao próximo a minha fonte de inspiração.

É muito fácil planejar; traçar as rotas com o entusiasmo posto no futuro constitui um cometimento de cômoda edificação.

Mergulhei na carne, experimentando de cedo as condições que me propiciariam o encontro comigo mesmo.

O contato com o Espiritismo não se me fez demorado. Defrontei a revelação consoladora quando eram moças as minhas carnes, antes dos letais compromissos no erro.

O entusiasmo se me irrompeu da alma em catadupas festivas; a inspiração dos guias, que permaneciam vigilantes, inundou-me o coração com entusiasmo, enriquecendo-me a mente com belas planificações.

Ingressei na tarefa.

Os sorrisos bailavam nos júbilos do ideal em festa.

O desejo de transformar o mundo impelia-me para a frente, mas, no momento em que se me fez necessária a transformação pessoal, num combate vigoroso no mundo íntimo, teve início o desmoronamento dos planos verbalizados.

Não obstante, vinculei-me a um grupo de trabalhadores afeiçoados ao bem, a princípio neles vendo modelos e exemplos, para depois, vitimado pela própria presunção e debilidade de forças, passar a identificar-lhes os prejuízos morais que me eram familiares num mecanismo de evasão em torno das responsabilidades a assumir.

A tarefa pesava e, quando os compromissos cresceram, as lutas redobraram.

Os inimigos dos dias pregressos não ficaram indiferentes à minha programação, conhecendo-me a tibieza de caráter e as alternâncias de comportamento, agindo nos meus pontos vulneráveis, quais os tormentos do sexo malconduzido, de modo a impedir-me o avanço, fundamentados, no entanto, na minha própria indisciplina.

A verdade é que procurei ser um *livre-atirador*; em vez de fixar-me num campo, somando forças, preferi ser o homem da verdade que aos outros exige o que em si mesmo ainda não logrou.

Hospedei-me aqui e ali nas experiências alheias sem a estrutura para levar até o fim qualquer empreendimento.

Acumulei o azedume, enchi-me de espinhos, desgovernei-me, e terminei por descoroçoar-me na luta, abandonando as responsabilidades. Em etapa final, duramente atingido pela animosidade dos antigos companheiros, ora verdugos que se me fizeram, recolhi-me à amargura.

Foram vãs as advertências indiretas dos amigos queridos. Multiplicaram-se as ocasiões de serviço nobre que eu sabia dissimular, rejeitando-as. Chegaram-me apelos valiosos e convites que eu descartei até quando a desencarnação surpreendeu-me num abatimento profundo, que se arrastou por mais de um decênio. Os comparsas da minha decadência utilizaram-se da minha fragilidade e fizeram-me beber o fel e o ácido da alucinação.

Fui recolhido pela Misericórdia Divina, por aqueles mesmos corações a quem abandonei em deplorável desencanto...

Agora, preparo-me para recomeçar.

Temo e anelo; desejo e receio.

Peço-vos que oreis por mim. Não me permitem declinar o nome, os mentores da nossa Casa, por isso, usarei um pseudônimo.

Porfiai vós!

Maior campo, mais difícil a sua guarda. Dilatadas as fronteiras, maiores movimentos pela sua preservação.

Não estranheis os testemunhos nem as dores, recordando-vos de Jesus, quando afirmou que "no mundo somente teremos aflições". E guardai na mente que apenas serão ditosos os que porfiarem fiéis até o fim.

Eu vos peço, companheiros, pelo menos neste momento, uma vibração de misericórdia e de força para o meu recomeço.

Anselmo da Luz

8

Fuga desastrosa

Suicidei-me para não sofrer e sofro porque me suicidei. Tentei fugir da vida para ser livre e encontro-me encarcerado porque busquei a liberdade de mentira.

Procurei diminuir o meu prazo de desdita e alarguei os anos de infortúnio.

Sou o exemplo vivo do paradoxo humano. No entanto, o drama que culminou numa tragédia sem limite teve aí somente o desfecho de uma vida arbitrária, que ao longo dos anos se caracterizou por pequenas paixões, todas assinaladas por inumeráveis cometimentos de egoísmo e de prepotência.

Quando jovem, fui vítima de tuberculose na coluna óssea, conhecida como Mal de Pott. A marca que me afetava o corpo não ficou somente na forma física, mas assinalou-me profundamente a alma. Alma que, por sua vez, era geradora da anomalia externa, em razão de delitos muito graves que, à época, eu ignorava, porque escondidos pelo véu da reencarnação.

Arrastei-me, no mundo, qual moderno Quasímodo, jugulado a uma surda revolta contra aqueles que apresentavam uma boa anatomia, movimentando-se com agilidade e esbelteza.

Ruminando a amargura que construí em torno de um fenômeno natural e dando-lhe uma dimensão que, em verdade, não possuía, porque não me era escassa a ternura que me envolvia na família, quanto não me fora negado o amor, que é um luar para todos que têm necessidade de refrigério...

Acreditei que era mais infeliz do que todo mundo, assim me tornando rebelde natural e amargo em relação a todas as pessoas e coisas.

Transferia da desdita em que me situei por vontade própria – necessidade de evolução – para os outros, numa ironia mordaz, todo o fel que me comprazia acumular.

Cheguei aos trinta anos pela Misericórdia Divina, que eu não suspeitava, quando fui acometido de insuficiência cardíaca, efeito natural do problema que agora mais me afeta, por desorganização dos ossos, a bomba generosa do coração.

As longas dispneias, martirizando-me noites e dias, fizeram-me procurar, apesar do conhecimento cristão, a solução mentirosa do suicídio. Suicídio que, em verdade, jazia latente em mim desde os anos verdes da adolescência, quando a enfermidade me surpreendeu.

Atenazado pelas minhas debilidades, planejei, num golpe de audácia, uma partida que não me tornasse mais desventurado nem a ninguém fizesse mais infeliz.

Submetido a cuidadoso tratamento e sob disciplina medicamentosa rígida, adicionei, propositadamente,

Depois da Vida

substância corrosiva que eu sabia ser possuidora de efeitos letais imediatos, a uma dose que deveria ingerir no silêncio da noite, mergulhando então no abismo da própria loucura.

Sem de nada suspeitar, em face do meu estado, o médico ingênuo atestou morte natural.

Mas eu sabia do crime perpetrado, e o fato de a consciência saber é o pior instrumento de castigo para o trânsfuga.

As exéquias, as preces de saudade da família, ao invés de me lenirem a aflição, mais me atormentavam. Os comentários entretecidos em torno da minha vida, ao contrário de me ajudarem, mais infelicidade me impunham, porque agora a máscara da hipocrisia tombara e eu me via como sou: mesquinho, ingrato, perverso e, sobretudo, déspota, em relação à vida e à misericórdia de Deus.

Acompanhei, alucinado, a decomposição cadavérica, em um estado que a verbalização dos conceitos não pode expressar.

O desejo de morrer, mas um morrer que fosse o apagar da consciência, violentava-me ao ponto da exaustão, sem sossego e sem trégua.

A dispneia cruel, a dor insuportável da coluna e os vibriões no corpo a devorarem-me, sandeus, as carnes putrefatas, eram-me uma terapia singela diante da dor moral derivada das presenças cruéis de seres que gargalhavam de mim, dilapidando-me os sentimentos mais caros e ofendendo-me; apontavam-me o corpo de que eu me quisera libertar, sofrendo-o por desejá-lo destruir.

Quando me pude evadir do cemitério e busquei correr sob a terrível respiração difícil num *corpo* alquebrado, aquele corpo em decomposição acompanhava-me, arrastado na minha fuga...

A loucura é uma palavra muito frágil para definir o tormento de uma consciência culpada.

Não sei o tempo em que assim estive.

Os epítetos infamantes, a chalaça deprimente, os doestos afligentes e as agressões tripudiando sobre mim, que chegavam de toda parte, longe de qualquer compaixão, eram apenas a aduana de um inferno ilimitado ao qual me precipitaria logo mais, quando tombei nas mãos dessa imensa e alucinada súcia de seres vampirescos que me conduziram a região muito dolorosa, onde tenho purgado como se fora uma animália desprezível, até que a dor, espezinhando-me ao infinito, fez que a consciência subjugada e o orgulho ralado imprecassem socorro à Divina Misericórdia de Deus, facultando que minha mãe fosse buscar-me, trazendo-me até aqui, onde estou em repouso há pouco tempo, em estágio de renovação, para ser transferido para tratamento hospitalar.

Convidado a depor nesta confraria, como se fosse *cirurgiado* de um câncer que libera o carnicão e as putrefações, sinto a alma aliviada, mais ainda por poder dizer do bem-estar que agora me domina.

Sobre o recinto que me agasalha e a muitos outros doentes que aqui se albergam por nímia misericórdia do amor, suplicamos que Deus mantenha este hospital de almas, para a consolação e amparo dos infelizes, onde nos acolhemos.

Tende cuidado com o orgulho, esse amor-próprio que é cáustico destruindo a vida; combatei-o com vigor, sob a luz do amor de Deus que tudo corrige, sem a necessidade da interferência humana malévola, e tudo opera mediante as sábias Leis da Misericórdia e do Bem.

Rogo perdão por ser tão desditoso e suplico orações para as necessidades imensas dos suicidas, que somos todos os rebeldes das Leis de Deus.

Amílcar Rodrigues Passos

9

Amarga aventura

Vim trazido pela bondade dos que dirigem estes trabalhos, para referir-me à experiência fracassada em que me vi envolvido.

A mediunidade, na Terra, é oportunidade de crescimento para Deus. Incompreendida, sofrendo uma usança indevida, levada ao ridículo ou transformada em escadaria do êxito pessoal, são poucos os indivíduos que lhe penetram a profundidade.

Coloco-me em primeira plana, porque o mau uso da mediunidade perdeu-me.

Sou uma vítima da própria imprevidência.

Semeei distúrbios e inconformismos, acenando promessas impossíveis de realizadas, para despertar estiolado no abismo onde me arrojei distante da esperança.

Despontou-me a mediunidade em plena juventude. Os olhos pareciam enxergar além das barreiras físicas e os ouvidos detectavam ruídos que eu tinha dificuldade de identificar se ocorriam dentro da minha concha acústica ou se no mundo exterior. Estados de emoção desconcertantes oscilavam em mim, levando-me das angústias contundentes aos entusiasmos arrebatadores numa violência emocional que me deixava lasso. Um dia divisei, na névoa desses acontecimentos, uma presença que me dizia ser a generosa condutora da minha vida. Pedia-me que mergulhasse dentro de mim mesmo, para meditar e entregar-me a Jesus em caráter de plenitude. Também me esclareceu quanto à minha procedência do passado, acumpliciado com uma caterva de malfeitores, com os quais me utilizara da fé cristã qual ator irresponsável no palco, fazendo os jogos dos interesses mesquinhos e dissolventes.

No entanto, como o Senhor não deseja que morra o pecador, mas que dele se extirpe o pecado, a minha era a oportunidade de redenção, abraçando o madeiro da soledade e da abnegação em duas traves em que me deveria prender, para então poder vir a fruir mais tarde os bens que malbaratara. A princípio, o deslumbramento ante este mundo novo incitou-me a uma atitude de respeito, porque eu estava longe de compreender os perigos do mau uso da mediunidade.

Não havendo, na minha cidade, um núcleo de estudos espíritas e faltando-me a presença gentil de uma criatura humana para servir-me de companhia e orientar-me, a pouco e pouco, ao invés de ser o condutor da faculdade mediúnica, deixei que o destrambelho das emoções me tornasse conduzido pela mediunidade em desequilíbrio. Era natural que fosse encontrando pelo caminho as mesmas almas com as quais me comprometera e, sem libertar-me das companhias infelizes com as quais me acumpliciara, tornava-se-me muito difícil seguir seguramente com os próprios pés. Não me exculpo da responsabilidade, nem fujo ao dever de informar que, em momento algum, faltaram-me a advertência carinhosa, a diretriz do Evangelho e a presença divina que existe em nós, apontando-nos o norte do dever.

Mas, a mediunidade parece exalar um fluido que atrai os incautos e, ao lado disso, os compromissos que me jungiam à retaguarda, precipitaram os acontecimentos da minha malograda experiência. Entidades simplórias utilizavam-se de mim ao talante da minha leviandade.

No começo, a mediunidade curadora atraiu pessoas simpáticas e reconhecidas, constituindo-me um círculo familiar. Ervas medicinais, imposição das mãos, água magnetizada, preces intercessórias, logravam bênçãos que eu atribuía, na minha insânia, às forças que jaziam em mim, permitindo assim que os Espíritos levianos as aplicassem indevidamente, fora de tempo e lugar.

Nesse momento, o sexo em desgoverno interior arrojou-me nas primeiras experiências alucinantes, fazendo-me enlear nas malhas de uma obsessão sutil quanto cruel, utilizando-se da invigilância das almas afins a quem eu deveria respeitar, mas que também por mim se fascinavam.

Abri as portas aos desregramentos dos que me viriam algemar à loucura que de mim se apossaria mais tarde.

A venda dos recursos mediúnicos se fez inevitável e, em consequência, a adesão das Entidades perniciosas por sintonia foi o passo imediato.

Ainda nesse estágio não se afastou de mim o generoso guia que me admoestava, pedindo-me que retornasse à simplicidade dos primeiros labores e à fidelidade do bem, à renúncia e à solidão.

Sucede que a taça que conduz o vinho embriagador dos sentidos, depois de sorvida, sempre se repleta, provocante e acessível.

Não se trata de uma autobiografia; estas são pinceladas de uma desdita que eu peço a Deus possa valer de advertência a alguém que um dia reflita sobre o meu fracasso.

Não me detive nas primeiras conquistas do desejo e, de passo em passo, avançando na estroinice dos sentidos, enredei muitas outras pessoas invigilantes como eu, na carga das emoções inferiores, estimulando-lhes os desejos servis com intencional provocação que não me era possível atender.

As Entidades mais impiedosas passaram a governar-me.

A casa mental se me tornou pasto de tormentos, e o corpo viciado começou a exigir mais condimentos nos prazeres.

Nesse ínterim, surgiram as insinuações dos obsessores para as práticas ilícitas do comércio da mediunidade infeliz. Enveredei pelas vinganças e ódios, aceitando incumbências nefastas a que prometia dar cumprimento.

No comércio ativo com os Espíritos impiedosos comprometi-me, comprometendo, também, outras pessoas, em trabalhos de desdita, em arremedos de soluções dos jogos pestilenciais dos interesses terrenos.

Tombei na feitiçaria.

Agora já era quase impossível retroceder.

Em alguns momentos, a lucidez me advertia, mas os alcoólicos a que me acostumara nos transes das experiências frívolas gastavam-me o corpo e a mente. Vampirizado por uma das minhas vítimas do passado próximo, mergulhei no alcoolismo até a alucinação total, vindo a desencarnar com um câncer hepático que me consumiu num desespero inenarrável.

Trinta anos hoje faz que me transferi para além da morte...

Não tenho como expressar o que me aconteceu nos vinte e oito anos atrás. Tornei-me uma *baia* onde *animais,* por fenômenos de zoantropia e licantropia, se repletavam. Arrastado às regiões pavorosas, fui excruciado, desejando mil vezes desagregar-me, sem conseguir um momento de repouso, vendo as minhas vítimas agigantando-se diante de mim e exprobando-me.

O inferno teológico pode ser comparado a uma chama pintada num painel em relação às labaredas da consciência que ardiam em mim.

Os pensadores do passado que urdiram as punições divinas, apenas humanizaram as suas próprias paixões, não conseguindo penetrar nos artifícios da mente empedernida pelo mal de si mesma, nas punições aos desgraçados que lhes tombam nas redes até que, depois de *um milênio* que foram esses vinte e oito anos, o coração de uma mulher santificada que me acolheu na infância e em cujas mãos eu coloquei os cardos da ingratidão trucidando-lhe o Espírito frágil, veio em meu socorro.

Fazia dez anos que me buscava, sem que eu a pudesse perceber, e retirou-me dali para um lugar de tratamento para as feridas imensas que ainda me dominam, em *decomposição orgânica* pelo perispírito.

Agora, quando me é acenada a oportunidade do retorno, na idiotia de um corpo que sofrerá o efeito desses desgovernos da mente atribulada, padecendo, talvez, algum intercurso obsessivo, ela pediu à venerável mentora destes trabalhos para que eu expusesse a minha amarga aventura, rogando a vós outros misericórdia para os infelizes, compaixão para as crianças desvalidas, que são almas como eu, que falharam e vêm bater às portas da caridade cristã, aguardando oportunidade de compaixão e de recomeço.

Também me cabe adir, na minha experiência, que médium não é somente aquele que recebe Espíritos, mas todos quantos se tornam instrumento da vida em relação a qualquer finalidade.

O bem não é somente o antídoto do mal, sobretudo, é a presença de Deus clareando a sombra que domina.

Vós que tendes a oportunidade de lidar com a infância mais sofrida, ponde a luz do amor no coração e na mente, fazendo por cada alma que vos chega despedaçada, o que gostardes que vos façam um dia, quando aportardes a um lar na situação em que estes ora se encontram.

Tende paciência conosco. Os infelizes, os responsáveis pela própria desdita, mas acima de tudo doentes que somos, porque, na consciência, ninguém é infeliz por querer...

Suplicando a Deus que a mim e a todos proporcione o próximo recomeço junto a um coração apiedado e humilde, que possivelmente eu não saberei compreender nem respeitar, porque as minhas alucinações estão apenas estancadas, mas não vencidas, eu me despeço agradecendo a vossa bondade e pedindo vosso amor para todos nós, os arrependidos, mas ainda devedores...

Teobaldo Ferreira

10

Urdiduras da inveja

Sou recém-chegado do inferno.
Se é que existem palavras para traduzir todas as aflições que me martirizam, essa foi a eleita, graças às terríveis punições que hei sofrido entre labaredas de remorso implacável e espículos de angústia indefinível.

Há crimes que as legislações dos homens não alcançam, não havendo na penologia moderna nenhum código de reeducação para aqueles que os praticam.

Agora eu sei que nas legislações inspiradas, que serviram de bases morais para as civilizações passadas, havia punições para os que delinquiam na área da vida íntima insuspeitada, exatamente onde se encontra a matriz da minha desdita.

A inveja perdeu-me.

Ignorando ou pretendendo ignorar a justiça de Deus, que me assinalou para reparar erros antigos numa vida de frustrações e de ansiedades, derrapei na inveja vergonhosa que me conduziu ao deplorável estado de aflição intérmina do qual estou emergindo.

A felicidade alheia sempre me constituiu amargura insopitável.

O júbilo dos outros me punha travo de revolta nos lábios do coração.

O amor que produzia ventura transformava-se em mim, que o não fruía, em ácido queimando e destruindo, estiolando-me a alegria de viver; e, como consequência, mascarei a frustração com a inveja indômita que me dava vida pelo mal que eu podia praticar, atirando as setas da malícia bem-urdida com pontaria segura naqueles que se tornavam minhas vítimas.

De morbidez em morbidez, tombei na calúnia.

A maledicência *gentil* e *airosa* transformou-se, na minha boca, em acusação fria e covarde, ora oculta, ora disfarçada, comprazendo-me a infelicitar, como se para a minha própria consolação eu me fizesse emissária da Divina Justiça.

Do meu rol de infelicidades, desejo registrar um dos crimes piores que perpetrei...

Certa noite, fui jantar num restaurante distinto. Ao entrar, deparei-me com uma cena que me chocou. A minha capacidade de ver o que eu queria enxergar e de entender o que me agradava, logo *pescou* no salão imenso um casal. Ele, conhecido meu, um homem a quem eu amava com a minha sordidez e a quem odiava, por ser casado com outra. Jovial e loquaz, ele ali se desdobrava em mesuras com uma jovem de cabelo ruivo, atraente, que lhe retribuía as atenções com ósculos na mão e na face. Fiquei à socapa como um animal selvagem esperando a presa. Este assim age pelo instinto de conservação da vida, enquanto eu, pelo instinto da maldade. Recusei-me a refeição, pois que já houvera encontrado o repasto que me agradava.

Sem qualquer escrúpulo ou maior reflexão, quando cheguei em casa logo telefonei à esposa do cavalheiro, a quem eu me fazia acreditar como sua amiga e narrei-lhe não o que eu vi, mas o que eu gostaria de ter visto. Minudenciei as atenções dele para com a outra, referi-me aos risinhos abafados, às palavras ao ouvido, aos beijos e carinhos...

Ela ouviu silenciosa, angustiada, respondendo-me, apenas, que não lhe era surpresa o fato.

Desligou o telefone, enquanto eu fui tomada de ira, uma ira que até agora não compreendo, porque, afinal, eu nada tinha a ver com a vida alheia.

No dia seguinte vim a saber que ela se matara.

Eu reflexionei que, como eles já viviam mal, certamente, quando ele retornou a casa, ela, com a honra ultrajada, deve tê-lo chamado a um profundo exame dos fatos, rechaçada por ele, pusilânime e adúltero, que a desrespeitou, fazendo-a arrojar-se em fuga pela porta do suicídio.

Ledo engano meu!

O caluniador justifica-se, mas é um triste engano.

Mas eu continuei. Ninguém me escapava.

Um sorriso jovial aqui e uma picada de inveja acolá.

Uma palavra amiga e uma bofetada moral bem-aplicada.

A calúnia se me fez uma parceira tão habitual que eu perdi a dimensão do que era verdadeiro e falso; do que acontecia e do que eu queria que acontecesse; do que eu via e do fato como se deu.

A minha mente, em consequência, se foi turbando. Passei a perturbar-me. Eu não sabia que este ódio que eu espalhava voltava para mim e que eu era uma antena que emitia, mas que, por sua vez, captava.

Ah! meus amigos, se a vida me era um fardo insuportável, que eu procurava conduzir realizando-me no mal, a morte foram-me mil vidas de infortúnio.

Morri, sim. Não estava ainda desligada do corpo e já estava disputada por verdadeiros *chacais*. Dentre eles, destacava-se a mulher que se matou, ora acusando-me. Ela, em verdade, não era uma suicida; a minha calúnia assassinou-a.

Deus meu, ela houvera tido, naquela mesma noite, um mal-entendido com o marido. O matrimônio vinha lentamente desmoronando. Ele convidara uma sua irmã que morava noutra cidade para que viesse intermediar os problemas e ajudá-los. Convidara a esposa para o jantar em que os três examinariam as dificuldades. Magoada, ela recusara-se a seguir com ele. Mas o que a fez suicidar-se foi um detalhe que lhe forneci, explicando que a acompanhante era uma mulher ruiva. Como a sua cunhada possuía cabelos castanhos – só que, uma semana antes, ela os houvera pintado, para disfarçar os primeiros fios que alvejavam e permanecer jovial – ela supôs ser uma rival.

Assim, não o esperou retornar. Os soníferos que usava para o repouso que se lhe tornava escasso, foram ingeridos numa alta dose, roubando-lhe a vida.

Quando o esposo chegou, encontrou-a morta. Ele nunca soube a razão do suicídio, nem quem o causara. Pranteou-a, demoradamente, pois que a amava muito.

Ela, por sua vez, esperou-me, implacável quanto eu merecia, acompanhada por uma horda de infelizes que me levaram à verdadeira geena, onde eu tenho expungido há um quarto de século a própria desdita.

Sou infeliz, muito infeliz.

Agora me surge outra oportunidade, o que não quer dizer que a paz ou a esperança encontrem agasalho em mim. Para esta catarse estou sendo sustentada, porque toda tremo e se me desconectam todas as fibras, porquanto ainda vejo o meu semblante acusador e ouço a minha língua cruel condenando, acusando e mentindo.

Estou seguida por um grupo de salteadores da paz que me esperam, a fim de me algemar outra vez.[10]

A inveja perdeu-me, e a calúnia sepultou-me no desespero.

Nota do compilador:
10. A Entidade, que não declinou o nome, ficou sob a proteção dos mentores espirituais, hospitalizada para recuperação.

Terceira Parte

Espíritos felizes

967. Em que consiste a felicidade dos bons Espíritos?

"Em conhecerem todas as coisas; em não sentirem ódio, nem ciúme, nem inveja, nem ambição, nem qualquer das paixões que ocasionam a desgraça dos homens. O amor que os une lhes é fonte de suprema felicidade. Não experimentam as necessidades, nem os sofrimentos, nem as angústias da vida material. São felizes pelo bem que fazem. Contudo, a felicidade dos Espíritos é proporcional à elevação de cada um. Somente os puros Espíritos gozam, é exato, da felicidade suprema, mas nem todos os outros são infelizes. Entre os maus e os perfeitos há uma infinidade de graus em que os gozos são relativos ao estado moral. Os que já estão bastante adiantados compreendem a ventura dos que os precederam e aspiram a alcançá-la. Mas, esta aspiração lhes constitui uma causa de emulação, não de ciúme. Sabem que deles depende o consegui-la e para a conseguirem trabalham, porém com a calma da consciência tranquila, e ditosos consideram-se por não terem que sofrer o que sofrem os maus."

O Livro dos Espíritos, de Allan Kardec

1

Reencarnação e resgate

Jesus afirmou que "nenhuma das Suas ovelhas entraria no Reino dos Céus sem que antes pagasse a dívida inteira ceitil por ceitil".
O processo da evolução é uma experiência que se realiza por etapas, em que o ser progride pela dor quando o amor permanece desdenhado.

Hoje sou feliz; porém, antes conheci a dor e a amargura.

Nasci, há menos de cinquenta anos, numa família abastada, em cidade próxima. Meus pais, fazendeiros prósperos, esperavam por um filho que levasse a propriedade adiante. A minha chegada causou-lhes um grande transtorno, desde que eu não correspondia aos anseios acalentados. Experimentei, desde a primeira hora, o desdém e a mágoa dos pais frustrados que não queriam uma filha. E, a seguir, à medida que o tempo se passou, a fissura inicial fez-se um abismo entre nós, porquanto, como consequência das Leis Divinas, a idiotia e a epilepsia me assinalaram a debilidade orgânica e mental.

Quatro anos depois do meu nascimento um irmão veio coroar a felicidade do nosso lar, fazendo, não obstante, que a minha dor fosse tornada insuportável.

Na minha limitação, entretanto, eu não podia avaliar o que em verdade se passava. Quando as convulsões epilépticas assaltaram-me, a partir dos sete anos, um verdadeiro calvário se apossou da minha vida fragmentada pelas limitações mentais e por sofrimentos outros que me eram impostos.

Pessoas inescrupulosas, chantagiando a presunção da minha família, afirmavam ser eu possessa de demônios, o que levava meus pais a aplicarem-me surras constantes e homéricas, em vãs tentativas de expulsar de mim o Espírito mau, execrando-me com epítetos malsãos e expressões que me humilhavam, na presença dos empregados e dos demais familiares.

Não fruí a bênção do carinho materno que, ao contrário, não escondia sua ojeriza pela minha presença.

Era obrigada a fazer as refeições à parte da família, porque o meu descontrole motor sempre gerava cenas embaraçosas à mesa.

Aos quinze anos, apresentando uma forma harmônica, na estupidez de uma mente limitada e enferma, fui vítima de pessoas mais infelizes, que me estupraram, em plena mata, sem que eu tivesse consciência da hediondez do crime; e, porque chegasse a casa com os sinais visíveis do ato cruel, minha mãe, acreditando-me vulgar, exigiu de meu pai que tomasse providências, que se complicariam mais tarde, após uma sucessão de agressões físicas que me deixaram prostrada no leito por vários dias.

Não terminou aí o meu calvário, porque, pouco mais de dois meses depois, anunciou-se-me uma gestação indesejada.

Meus genitores, tomados de fúria, levaram-me para a mata e espancaram-me impiedosamente, a fim de que eu acusasse o homem que me havia desencaminhado, para que eles encenassem um matrimônio impossível ou mandassem lavar-lhes a honra manchada com a vingança. Na minha alucinação e desequilíbrio, no entanto, eu não podia identificar o meu algoz.

Ataram-me, então, a um tronco de árvore, e meu pai, tomado por um furor indômito, chibateou-me até que a morte me adveio.

Experimentei terrível dor. Num certo momento, uivando como um animal e tentando libertar-me das amarras, vi-me subitamente projetada em outro cenário, na forma de uma fidalga aparentando quarenta anos, diante de uma escrava com evidentes sinais de parto, numa senzala miserável e infecta. Ali presente, eu exigia do feitor que lhe amarrasse as pernas, enquanto lhe retinha os braços no tronco da punição. Aquele filho não podia nascer porque era do meu marido com a jovem negra que o *roubara* de mim. Acompanhei o trucidar daquele corpo moço, nas violentas contrações do organismo, com zombaria. Gargalhava, enquanto seus gritos dilacerantes de dor ecoavam por toda parte, acompanhados pelo murmúrio das preces e das objurgatórias dos demais escravos espalhados por toda parte. Vi-a morrer, sem que o filho fosse projetado para fora.

Nesse momento, voltei à cena em que me via com a cabeça tombada...

Senti-me livre e leve, enquanto minha mãe, a gargalhar, aplaudia o meu genitor, agradecendo-lhe por haver-lhes recuperado a honra ultrajada.

Identifiquei, então, que aquela mulher que me concedera a maternidade, havia sido a escrava que eu mandara matar, e o homem que me houvera trazido à vida era o meu marido de outrora a quem eu negara o direito da paternidade.

Nesse momento, uma doce paz tomou conta de mim. Abandonei o casulo carnal, reconhecida, e porque alguém me aparecesse oferecendo-me mãos generosas, passados alguns minutos, ali mesmo, me pus de joelhos e agradeci a Deus a oportunidade de resgatar o crime que cometera antes, a fim de poder encontrar a paz perante a Justiça Divina, entregando os meus genitores à própria consciência, sem qualquer rancor.

Aqui venho hoje, para dizer que todas as dores, mesmo aquelas que se apresentam com caráter mais chocante e cruel, têm as suas raízes no amor desprezado, que enlouqueceu no passado, quando engendramos crimes e que, agora, a Providência deles nos permite liberar, a fim de granjearmos a plenitude da paz.

Evitai comprometer-vos com qualquer tipo de violência, mantendo-vos confiantes nas Leis de Deus que vigem em toda parte!

Quem se entrega à divina condução, de forma nenhuma perece para renascer na grilheta da escravidão pelo erro.

O amor consegue alforria e bênção que liberam o Espírito para o empreendimento da sua marcha feliz.

...E tende em mente que nenhuma das ovelhas que Deus confiou a Jesus se perderá. Mas, ninguém entrará no Reino dos Céus sem que haja pagado a "sua dívida ceitil por ceitil".

Marina da Conceição

2

Tormentos ocultos

Há menos de dois anos, nesta cidade, eu me libertei do corpo em circunstâncias muito especiais.
Fui mãe e esposa devotada.

A minha vida, porém, nos últimos quinze anos, esteve assinalada por uma enfermidade soez, que me roubava diariamente as energias, sem consumir-me a existência.

Vitimada por uma bronquite asmática, deambulei pelos especialistas sem que o meu mal pudesse ser debelado.

Hoje eu compreendo que era apenas um efeito cujas causas remontam a existências anteriores de que eu não me poderia furtar.

O companheiro devotado e amigo lutou tenazmente ao meu lado, sofrendo as noites insones e exaurindo-se, muitas vezes, horas avançadas, para levar-me ao pronto-socorro, atendendo-me as urgências respiratórias. Mesmo assim, de nossa comunhão conjugal, que durou vinte anos, nasceram três crianças que enriqueciam nosso lar de felicidade e promessas de paz permanente. A doença demorada, no entanto, é um verdugo que se faz cobrador impenitente, em particular mais cruel, para quem não tem as resistências morais que nascem da abnegação e do amor transcendente. O tempo fez que o cansaço lentamente se apoderasse do companheiro, que já não conseguia ocultar o mal-estar que o assaltava diante das minhas crises contínuas, a se amiudarem à proporção que os recursos médicos se tornavam ineficazes. A princípio, adicionei aos padecimentos físicos a dor moral, que advinha do sofrimento que nele se fez, paulatinamente, indiferença, a fim de sobreviver ao calvário que a minha presença lhe infligia. Nos últimos três anos, com o corpo vencido dolorosamente pela dispneia, com a fragilidade orgânica numa aparência desconcertante, ele pediu-me licença, alegando não suportar ver-me na situação que me depauperava, para dormir num quarto contíguo, de modo a ter forças para levar a família adiante, bem assim as altas despesas que a minha enfermidade lhe impunha. Aquiesci de boa mente, compreendendo-lhe a justeza do conceito, apesar de sofrer, na intimidade dos sentimentos, a ocorrência de que me não poderia libertar. Nos dias que se sucederam, eu compreendi que o marido, ainda jovem, tinha necessidades biológicas e emocionais de companhia e cheguei mesmo a identificar a pessoa que o fascinava, levando-o a um concubinato que o tempo me propiciou entender.

A esforço hercúleo e sob o apoio da oração, cristã que procurei ser, no meu calvário, passei a tê-los, ao marido e à sua companheira, na condição de filhos que reuni aos nossos filhos para que se me fizesse amena a trajetória final.

Não é necessário dizer que pessoas invigilantes e inescrupulosas, sem me respeitarem as dores da enfermidade e da solidão compreensível, traziam-me notícias devastadoras, que eu procurava superar, evitando que a tônica da conversação dissolvente mais amargura me trouxesse à taça dos padecimentos.

Menos de um ano antes do dia da minha libertação, fui vitimada por um problema coronário que me propiciou continuar a viver com dores anginosas, que se transformavam em espículos cravados na bomba cardíaca e em toda a área, afligindo-me sem cessar, produzindo-me descompensações que se agravavam durante as crises respiratórias.

O esculápio vigilante, embora reconhecendo o meu problema dispneico, receitou-me um medicamento vasodilatador para as horas mais graves, prometendo-me a remota esperança de uma cirurgia impossível...

O companheiro, no entanto, mais se distanciava. Da indiferença educada e social passou ao ressentimento surdo que extravasava no olhar magoado com a minha presença, que lhe impedia os planos de felicidade merecida. Há menos de dois anos, no mês de fevereiro, em nossa casa de praia, para onde fôramos às vésperas do carnaval, a noite tempestuosa que sempre me aparvalhava desabou numa torrente de trovões e relâmpagos, criando-me um estado de pavor que se transformou em nova crise cardíaca. Chamei-o; não tinha forças para locomover-me. Ele veio com má vontade. Pedi-lhe, por misericórdia, o remédio salvador, cuja dose sublingual me aliviava em alguns segundos.

Ante o tumulto das forças da natureza, ele tomou do pequenino vidro e enquanto eu lhe distendia a mão ansiosa, sem dizer palavra, ele fitou-me demoradamente, cerrou a destra e afastou-se, esperando-me morrer. Os seus olhos traziam-me a sentença final. Os meus filhos não estavam aí; ficaram na cidade para os festejos momescos. Éramos somente nós e uma auxiliar que dormia num cômodo da casa, à parte. Quis gritar; a garganta estava túrgida e a voz não saía. O esgar da morte, a dor e a asfixia ameaçavam-me de alucinação; ele, porém, continuava impassível. Tive a impressão de que os seus lábios se moviam, parecendo-me escutar: "Morre, miserável! Liberta-me de uma vez!" Chamei pela Mãe Santíssima, sem voz, e compreendi a dor que ela experimentou, apunhalada, vendo o filho na cruz... Dei-me conta de que ali estava um filho a quem eu deveria perdoar, desde quando passei a amá-lo como se fora a mãe que agora ele matava.

Graças a um caleidoscópio mágico, as cenas da minha vida passaram céleres pela mente desde aquele instante, retrospectivamente, até onde eu pude alcançar na infância.

Uma dor mais violenta, qual se uma mão de ferro fechada se abrisse dentro do peito rasgando-me todas as carnes, e um desmaio foram a minha libertação.

Despertei no Além. Mágoa nenhuma; somente saudade e dor. Quando me assenhoreei dos acontecimentos, sob a misericordiosa proteção dos benfeitores espirituais que não nos abandonam jamais, ele se houvera consorciado com a irmã que me deveria substituir. Nove meses depois tive permissão de visitá-los. Aparentavam felicidade. Meus dois filhos mais velhos, de dezenove e dezessete anos, haviam saído do lar por dificuldades de compreensão com a madrasta e com o pai. O meu filhinho de dez anos fora encaminhado para as mãos abnegadas de mamãe.

A nova esposa esperava uma criança. Ela é mais jovem do que ele quinze anos e tudo eram alegrias.

Passei a pedir a Deus que me concedesse forças para os amar e compreender.

À medida que a gestação se desenvolvia, um certo tipo de psicose começou a afetá-la, mesmo porque o filhinho é um antigo adversário de ambos que recomeça a jornada. Após o parto, o problema se agravou e a pobre amiga, vitimada por um tipo de psicose maníaco-depressiva, atormenta-se e atormenta-o.

Orientado por pessoas generosas a recorrer à ajuda do Espiritismo, ele buscou, recentemente, um núcleo que ostenta a bandeira da caridade cristã ou assim pretende, e, na entrevista a respeito da companheira doente, informaram-lhe que era a primeira esposa que a persegue, insatisfeita com o consórcio, sem dar-se conta o informante de que eu fora assassinada pela invigilância dele e pela indiferença dela, enquanto eu amava-os e amo-os.

A verdade, porém, é que sem ter um correto conhecimento desta Doutrina de consolo e de liberdade, mas me conhecendo e sabendo quanto o amei, ele não pôde compreender que isso fosse verdade. Caminha agora, aturdido, para um drama de consciência, acreditando ser o seu atual sofrimento um castigo divino como efeito do crime que praticou...

Ó irmãos da caridade! Quantos dramas e crimes ocultos aos olhos humanos que a humana justiça jamais alcançará!

Pedi ao Senhor, por misericórdia, que me permita auxiliá-los no transe que experimentam, porque a Lei de Deus é de amor e de perdão, especialmente agora que eu sei não haver sido vítima de um atentado imerecido, mas que a lei se cumpriu, embora os desígnios divinos não necessitem das interferências humanas.

Quando aconselhardes, sob a inspiração augusta do Senhor, tende cuidado para não acusardes. Vigiai para não perturbardes mais os que se desgovernam.

Tende atenção em vossas palavras, buscando edificar sempre e sempre sem tomar parte prioritária nos dramas que vos sejam apresentados.

Fixai-vos na sabedoria das justas Leis de Deus e sede imparciais, socorrendo uns aos outros, sem colocardes o tóxico letal sobre aqueles que se não podem ou não devem defender.

Não me sinto totalmente feliz porque, atada à retaguarda, acompanhando os filhinhos que a inexperiência precipitou nos rumos da insegurança, embora o pai lhes dê as coisas materiais, sempre secundárias, e não a presença moral que é indispensável.

Necessitando de socorrê-los, aqui venho trazer o meu drama e rogar-vos que me ajudeis com o amor que Jesus vos dá, para eu colimar o êxito no empreendimento desta necessária reparação.

Albertina Gutierrez

3

Experiência vitoriosa

Discípulo apaixonado do Espiritismo, encontrei, na Doutrina de Allan Kardec, o filão de ouro da felicidade.

Qual Teseu, no Labirinto, que após vencer o Minotauro utiliza-se do fio de Ariadne, o Espiritismo levou-me de encontro aos problemas da vida, ajudando-me com as armas da fé raciocinada, a entender os enigmas do comportamento humano e marchar no rumo do claro dia da felicidade.

Como Édipo, decifrando a Esfinge na estrada de Tebas, tive no Espiritismo a revelação da Verdade que me impediu de cometer alucinações e despautérios, qual ocorreu com o jovem herói da tragédia concebida por Sófocles.

Deslumbrei-me com as alturas, qual novo Ícaro, mas não me deixei iludir fazendo asas de cera que o Sol derrete, porém, elaborando-as com as ações que alam o homem acima da vida comum, podendo pairar, sobranceiro e tranquilo, sobre o mar encapelado de pélagos vorazes.

Não que eu haja sido um triunfador. Portador de um temperamento irascível e de uma compleição emotiva especial, não poucas vezes derrapei nos equívocos e nas paixões amesquinhantes que o tempo não me permitiu superar.

Reporto-me aos triunfos logrados, porque tive a ventura de receber a Doutrina Espírita no trabalho intelecto-moral do meu progresso, quando a dor me havia chegado à alma rebelde, no começo do amadurecimento dos anos, em lutas políticas e periodísticas pelo jornalismo, demonstrando-me que havia um outro campo de batalha e um outro mundo promissor para os quais me deveria voltar, canalizando as forças do coração despedaçado e da mente irrigada por ideias revolucionárias, por filosofias arbitrárias, por cuja diretriz poderia encontrar a paz.

Foi assim que aportei, como filho pródigo de retorno à casa paterna, no Evangelho iluminado de Nosso Senhor Jesus Cristo, do qual Allan Kardec soube extrair as mais preciosas pérolas, com as quais elaborou, como artesão da Misericórdia Divina, o diadema de esperança e paz, coroando, com as mãos dos Espíritos Imortais, a Humanidade sofredora.

A palavra fácil e a pena rápida ajudaram-me no compromisso da divulgação doutrinária. Fascinava-me, porém, muito mais, o intercâmbio com os Espíritos. Afeiçoei-me, especialmente, a essa psicoterapia de profundidade, nas sessões desobsessivas e nos labores de educação da mediunidade. Intentei elaborar uma metodologia prática, inspirada na de *O Livro dos médiuns*, para auxiliar os homens inquietos, através da vivência dos fenômenos mediúnicos e suas sobrecargas ânimicas defluentes do inconsciente carregado de frustrações, trabalhando com vigor, entusiasmo e idealismo o campo imenso da mediunidade, com os olhos postos no futuro de homens paranormais felizes.

Não me é lícito avaliar quanto ao resultado do esforço, mas é justo reportar-me ao efeito bom dos trabalhos realizados.

À mesa mediúnica, esse santuário hospitalar dedicado às cirurgias transcendentais no perispírito dos desencarnados e na reabilitação dos falidos espirituais, aplicando o verbo, a hipnose e a conveniente medicação, defrontei incontáveis habitantes do Mundo espiritual, que desfilaram diante de mim trazendo suas dores e suas paixões, mas também a saga das suas conquistas e as láureas das suas vitórias que me embargavam a voz.

Utilizei o senso de psicologia para falar com os mais sofredores, dirimindo equívocos e elucidando a situação de cada um, na medida do possível, tanto quanto para debelar os efeitos terríveis da epidemia obsessiva que ainda grassa na Terra; e estive a braços em contínuas pelejas de amor e de luz com os irmãos equivocados, que tomaram nas mãos a clava e os códigos da justiça em atormentadas tentativas de reparação dos males que haviam sofrido...

Cada tentame, no qual lograva o cometimento da paz, assinalava no meu coração uma vitória de amor.

É justo esclarecer que nem todos, porém, se comoveram com o meu pobre verbo nem com os recursos morais da minha pequenez.

Ao desencarnar, defrontei-os aqui, aguardando-me. Não fosse a Misericórdia Divina que me resguardou do mal de mim mesmo, eu teria soçobrado ante as acusações e as blasfêmias, os doestos e os epítetos com os quais investiram contra mim, ora de alma a alma, falando-me das realidades espirituais que eu lhes apresentara, no entanto, que não lograra viver integralmente.

É certo que o lamentei e lamento ainda.

Houvera-me dado conta, tardiamente, da imensa distância entre a palavra e a ação, o ensino e o exemplo, a lição e a obra, a sugestão e o fato; todavia, recuperando os propósitos de iluminação interior, confessei-lhes ser também um companheiro aturdido e necessitado que, deslumbrado pela luz que fulgia acima, desejou apontá-la para todos que estavam abaixo e em trevas. O insucesso pessoal não significava estímulo para que as sombras permanecessem. Renteando no mesmo solo, o amor que já começara a luarizar a minha alma, na Terra, estuou nos meus sentimentos, e o que a palavra não lograra traduzir, as lágrimas e o afeto fraterno conseguiram, unindo-me aos da retaguarda para com eles ir avançando.

Permaneci, desde então, vinculado ao trabalho espiritual, nesta cidade muito amada, colaborando com os nobres mensageiros da consolação, no intercâmbio espiritual pela mediunidade enobrecida e na terapia desobsessiva libertadora.

Hoje, meus amigos, atendendo ao convite da mentora da Casa para aqui trazer minhas experiências, eu apresento o entusiasmo virgem, que ainda vive em mim e falo da certeza inabalável que sempre esteve comigo, conclamando-os à permanência nesta via libertadora – a prática espírita – que ilumina consciências e desatrela corações das amarras do mal.

Allan Kardec, o discípulo especial de Jesus, é o guia que nos leva ao Mestre que o iluminou.

O Espiritismo é o portal de luz projetando claridades no futuro.

A mediunidade é a porta de serviço dignificando o homem e colocando passagem entre os mundos de vibrações diferentes a fim de que o intercâmbio se dê em regime de felicidade.

Ensinemos e pratiquemos, preguemos e vivamos, falemos sobre o amor e amemos, orientando os que sofrem e libertando-nos de nós próprios, porque a morte é a desveladora incomum que nos põe diante da consciência, qual um espelho que reflete os nossos atos, e, numa avaliação de justiça, consigamos caminhar pela estrada que adredemente preparamos na Terra, a qual nos levará ao destino que traçamos.

Abel Mendonça

4

Momento de ação

Exerci, nesta cidade, o ministério sacerdotal da Igreja Romana.

De cedo, sinceramente tocado por Jesus, abracei a carreira religiosa como a forma de integração no espírito do Cristo.

Fiz-me sacerdote católico, encontrando as motivações poderosas para uma vida feliz.

Tocado pela pulcritude do Evangelho, estabeleci como linha de comportamento a fidelidade aos ensinos do Senhor, dos quais procurei não me apartar sob justificativas que fossem válidas, mesmo que ao preço de renúncias e sacrifícios que me impus, na demonstração do valor intrínseco de que se fazia portadora a mensagem santa.

Limitado pelos dogmas que me impediam de pensar, adotei a fé sem mais amplos tirocínios, fundamentado, não obstante, no conceito lapidar do mandamento maior, que expõe "O amor a Deus acima de todas as coisas e ao próximo como a si mesmo", na condição de fator primordial para a verdadeira vivência da Sua Divina palavra.

Tive, como exemplos a seguir, o venerando santo de Assis, no seu apostolado de renúncia e o excelso trabalhador de França, Vicente de Paulo, na ação imbatível da caridade.

Eles me constituíram a chave do segredo da felicidade para o bom desempenho da pobreza; e porque também eu era pobre, procurei viver como vivem eles, de modo a conhecer de perto os seus problemas e minimizar as suas aflições, sofrendo-as na própria carne.

Participei do desconforto de muitos com amor, sem qualquer exaltação que me levasse à promoção da personalidade, sabendo que o sacerdote torna-se ministro do Senhor quando se faz irmão de quem se encontra deserdado pelo mundo e se torna companheiro de calvário, auxiliando cada um a carregar sua cruz, no anonimato de cireneu.

Repartia as migalhas que me chegavam, em quota de solidariedade, enquanto a alma exaltava o bem nas concessões da oportunidade ditosa.

Vivi entre os renegados, os esquecidos, movimentando os recursos da esperança, salientando a necessidade da fé.

A imantação ao compromisso clerical e o fascínio que sobre mim exercia a mãe de Jesus fizeram-me transformar muitos pães em pedras, erguendo um templo para homenageá-la, e assim atender melhor aos que não tinham teto, sem dar-me conta de que Deus tem por templo a Natureza e por altar o coração humano.

A formação clerical me impôs uma visão distorcida da realidade espiritual, não me impedindo, entretanto, que se me desabrochassem os sentimentos da caridade e do amor, que são pedras angulares de todas as correntes espiritualistas do mundo.

Assim passei os largos anos da existência na atividade infatigável da assistência aos sofredores, necessitados de consolação das suas penas, explicando-lhes quanto à finalidade delas. O conforto moral enflorescia-me os lábios e as palavras faziam-se bálsamo, para que se não entregassem, na volúpia das feridas abertas em dores ulceradas, à alucinação do suicídio nem da agressividade infeliz.

O Espírito tem pudor de entretecer considerações em torno da sua vida. Impele-me, no entanto, o desejo de reportar-me à profissão de fé e à ação do bem, para demonstrar que o caminho iluminativo das almas tem começo na sua transformação interior, quando inspirada pela meridiana luz do Cristo Jesus, o condutor da Humanidade terrestre.

Anelei por uma vida larga de serviços, confiando que, ao desincumbir-me do compromisso abraçado, poderia repousar. Sem a pretensão, embora, de conviver com os anjos, esperava viver o trânsito purgatorial, passageiro, para a depuração final. A morte me veio, arrebatando-me em espírito, enquanto a dor dos "filhos do calvário", meus companheiros de luta, vertia pranto e cantava saudade na oração ungida de ternura, em homenagem carinhosa ao seu pobre pastor.

Mas não fui ao purgatório, nem repousei. O trabalho é o ritmo que mantém o equilíbrio e a ordem universal. Despertando, além do corpo, melhorando a visão em torno da vida, detectei a esplêndida misericórdia do Pai e prossegui na ação intérmina da Sua realização, continuando com os irmãos da retaguarda, na consolidação do processo da sua espiritualização. Melhor instruído quanto às finalidades da vida, aparelhado por instrutores mais bem fundamentados na ciência do conhecimento, adestrei-me para permanecer nesta cidade, como auxiliar de valorosos campeões da caridade e do amor, promovendo os Espíritos reencarnados na busca da sua identidade com Deus. Continuo mourejando nos grupamentos alagados onde desenvolvi as atividades transatas, buscando infundir o ânimo e a esperança onde estes deixaram de existir.

Sem especular em torno das questões transcendentes da vida, integrado na movimentação do serviço de edificação de vidas, posso dizer que a existência física vale pelo investimento de amor que nela depositamos.

A felicidade, a libertação, a paz são triunfos de uma jornada bem-conduzida, que o Espírito frui quando termina a etapa a que se entregou movido pela abnegação e atendido pela doação total.

O céu anelado dilata as suas balizas no mundo interior de cada um no rumo do infinito, sendo a estância de bem-estar pessoal que cada qual pode conseguir dentro de si mesmo.

Diante das conjunturas graves deste momento histórico da Terra, o cristão em geral e o espiritista em particular, aquinhoados com as amplas lunetas da compreensão da excelsitude da vida, têm a obrigação impostergável de colocar os marcos divisórios entre o que era, o que é, e o que pretende ser, marchando intimoratos na busca da aurora porvindoura que lhes cabe desde já, criando condições propícias para todos os homens alcançá-la.

Este é o momento da ação conjunta de todos, particularmente dos que possuem a fé viva, racional, para a grande arrancada na direção da Era Nova que se avizinha.

Padre Manuel da Natividade de Maria

Nota do compilador:
Vide mensagens insertas no livro Crestomatia da imortalidade, capítulos 15, 32, 45 e 57, Editoral LEAL.

5

Retorno feliz

O despertar do Espírito, além da morte, quando equipado com uma consciência tranquila, é das mais abençoadas concessões de Deus que se podem receber.

As palavras bem-concatenadas não conseguem explicar o que representa a felicidade depois de uma larga existência corporal entre vicissitudes e expectativas.

Uma paisagem, por melhor descrita, sempre suplanta a que se pretendeu apresentar.

Uma música, por melhor exposta em palavras, nunca pode ser penetrada na sua beleza total sem que seja ouvida.

Assim também a emoção que reveste a felicidade.

Todo entrelaçamento de palavras fica aquém daquilo que é quando se a experimenta.

Alguém disse que a felicidade, as "emoções superiores, não podem ser descritas, mas devem ser vividas".

É o que se passa em mim, ao retornar aos corações amigos.

Desde que a morte consumiu o meu corpo que tive a bênção de poder despertar amparada por velhos amigos, aqueles mesmos que colocaram o bálsamo do Evangelho no meu coração, nos recuados dias da minha juventude terrena.

Dei-me conta do processo da morte quando a ressurreição em triunfo descerrou-me os olhos e o rosto generoso do amigo José Petitinga abriu-se-me num sorriso cordial de boas-vindas. Não pude sopitar a emoção que me tomou toda de uma só vez, pelo reencontro com o benfeitor que se me constituiu durante a vida física o pai generoso e o guia de todas as horas, distendendo-me as mãos da fraternidade espiritual e da sabedoria sem afetação.

Desejei falar, mas a garganta negou-se a proferir o verbo de reconhecimento.

Ainda não saíra da emoção, quando Euclides[11] adentrou-se pela sala, amparando-me nos seus braços trêmulos de emotividade.

A partir deste momento, foi um desfilar de corações queridos a quem aprendera a amar durante os longos dias do corpo físico, na ação generosa da caridade sem limites.

Auta de Souza, Manoel Philomeno de Miranda, Otília Gonçalves, Isaura Perazzo[12], todos eles vieram saudar a irmã recém-chegada, entoando, com os semblantes ditosos, uma canção sem palavras, que procurava traduzir o retorno da filha pródiga ao seio do Pai bondoso.

Sucederam-se os acontecimentos formosos numa esfera de verdadeiro sonho.

Notas do compilador:
11. Euclides Ribas, esposo desencarnado.
12. Amigos e benfeitores espirituais desencarnados.

Eu tinha a impressão de que, logo depois, iria despertar numa realidade diferente, já que reconhecia não merecer o lugar em que me encontrava entre amigos ditosos e corações felizes.

Foi nesse imenso suceder de cenas do caleidoscópio da felicidade, que mamãe, a quem eu vira partir na juventude, acercou-se de mim e, envolvendo-me num amplexo que traduzia demorada saudade, numa efusão de júbilos sem-par, esclareceu: "Leonor, você está na *vida*. Seja bem-vinda, minha filha."

Ninguém pode avaliar o que então se passou comigo.

Recordei-me dos últimos momentos no corpo exaurido, passando pela tela da memória, numa velocidade ímpar, os sucessos da existência desde o momento da perda da consciência e, retroativamente, até a infância descuidada e trêfega. Assinalei com maior vigor os momentos infelizes, que passariam a pesar-me na economia espiritual, mas não pude deixar de bendizer as horas da fé, as oportunidades de serviço, a bênção da companhia fraternal do grupo querido onde a Divindade me permitiu mourejar por trinta e seis anos de contínua afetividade cristã. Bendisse todas as horas em que a palavra generosa floriu nos meus lábios, dirigida a alguém em desconforto; porém, abençoei mil vezes os instantes de resignação ante a dor, eu que não era resignada...

Dei-me conta de que, em verdade, a vida física é semelhante a um sonho que passa rápido, alcançando a realidade que vai permanecer.

Hoje, dou-me por feliz, porque pude peregrinar na senda do Espiritismo libertador, que foi o sol amigo, representando o Sol divino a clarear-me por dentro nas horas amargas e nos momentos ditosos.

O viajor que se informa a respeito do país para onde vai, preparando a bagagem que deve conduzir, procurando manter contato com os amigos que ali estão, de forma nenhuma se surpreende quando chega ao porto anelado.

O Espiritismo, por isso mesmo, constitui a bússola de orientação, como também é o guia de informações seguras a respeito da pátria donde se procede, mas que, em face do estágio no corpo, por momentos se olvida, no entanto, é para onde inevitavelmente todos retornam.

Constato com clareza o sentido das bem-aventuranças, particularmente as que são concernentes aos "pobres de espírito", aos "sedentos de justiça", aos "esfaimados de paz", porque eles serão atendidos e saciados.

É certo que não me coloco em nenhuma das posições referidas pelo Senhor, dentre as que me reporto; todavia, compreendo que estes, que na Terra padecem de carência, repletar-se-ão; os que experimentam falta, enriquecer-se-ão.

Os vínculos com o mundo – a bendita escola – permanecem como sinais de amor e de gratidão ao lar generoso da nossa aprendizagem.

A saudade visita-me, de quando em quando, a casa mental. Não tendo, no entanto, aquele constrangimento angustiante que se transforma em constrição perturbadora. Ela é feita de esperança e de alento, estimulando ao trabalho com que nos armamos de recursos para preparar o lugar dos afetos que virão depois.

As reminiscências dolorosas não têm mais o selo da mortificação, antes constituem lições que se fixam na memória para que se não repitam mais os descuidos e negligências.

Todas as informações que eu havia haurido na literatura espírita, estão, apesar da beleza retratada, aquém da realidade que agora posso desfrutar.

Neste retorno feliz aos companheiros de vilegiatura, desejo traduzir gratidão e afeto, estimulando-os ao prosseguimento das lutas ásperas que forjam os heróis, que dignificam os mártires e que trabalham os santos.

Sem o combate, a vitória perde o sentido; sem a dor, a alegria se descolore; se não houvesse a noite, o dia não teria significado.

É necessário aplicar todos os investimentos do coração e da inteligência na obra da libertação da consciência pessoal e das consciências humanas, trabalhando pelo reinado de Jesus Cristo, pois enquanto se adensam as sombras, a incompreensão e a loucura em estardalhaço desgovernam a criatura e ameaçam com o caos do princípio a civilização e a cultura.

Jesus permanece vigilante.

Na razão direta que todos O buscam, Ele prossegue aguardando os obreiros resolutos para a seara do amor sem limite entre as criaturas da Terra.

Leonor Ribas

6

Provações abençoadas

A vida na Terra, considerada do ponto de vista espiritual, como aliás deverá ser, muda completamente o significado que vem apresentando.

Aceito o Espírito como fator causal, o corpo e a vida fisiológica passam a ser inevitáveis resultados da sua ação.

Assim considerado, o sofrimento altera o seu conteúdo e as conjunturas, alegria e dor, prazer e desconforto, modificam completamente a forma pela qual têm sido aceitos.

Partindo-se da premissa de que o Espírito é o agente gerador, portanto, preexistente ao corpo e procedente de uma realidade transcendental para onde voltará, todas as ocorrências, na área da matéria, constituem lições transitórias com efeito que promoverá a felicidade sem jaça ou o arrependimento tardio.

Graças a este comportamento, as coisas no mundo assumem a importância e adornam-se do valor que nós lhes atribuímos.

Um câncer, para um Espírito resoluto e confiante, pode ser encarado como uma bênção, enquanto pequeninas alfinetadas, para um temperamento precipitado, que se assinala pelo desequilíbrio interior e pela ingratidão às Divinas Leis, representam verdadeiro infortúnio que leva à loucura.

A gama dos padecimentos humanos tem variantes difíceis de ser estabelecidas. O que para alguém é de vital importância, para outrem de nenhum valor se reveste.

Para estes a doença é maldição, e a saúde é dádiva de Deus; para aqueles a saúde tem sido veículo de corrupção e de desar, enquanto ainda outros consideram a doença como cadinho purificador, graças ao qual anelam pela libertação.

Experimentei, de perto, muitas vicissitudes, no peregrinar de uma vida modesta na Terra.

Muitas vezes, parecia-me que as conjunturas conspiravam contra os meus ideais.

Lutador, coletava poucos louros; afadigando-me no trabalho, reunia resultados desconfortantes. Insistindo no bem, percebia-me sitiado por forças da delinquência, mas, em contrapartida, conheci o Espiritismo que me deu a verdadeira visão da vida, que é esta, a de natureza espiritual, ensinando-me onde estava a matriz dos acontecimentos e ao mesmo tempo oferecendo-me os recursos da fé, que são a metodologia para bem os sofrer.

Constituí família a braços com a crença restauradora e com as lutas de lapidação moral. O organismo alquebrado, ao longo dos anos, chegou na idade madura a apresentar dilacerações que eram provenientes do passado, tais: problemas circulatórios, a visão deficiente, a fala com limitações, no entanto, o Espírito resoluto. Em momentos de fraqueza, lamentava o apagar da vista, não pela saudade dos contornos e das cores da Natureza, porém, pelo impedimento natural de poder meditar nas leituras sadias do Evangelho.

Quando a morte me libertou da carcaça física, abrindo-me os horizontes coloridos da imortalidade, exultante, porque o breve degredo chegava ao fim, anunciou-me uma jornada de liberdade.

As consolações que acalentara durante a noite da viagem corporal, agora se transformavam em sol que não permitia mais sombra nenhuma pelo caminho. As lágrimas contidas e a resignação preservada nos momentos mais ásperos dos testemunhos desabrochavam em sorrisos, como botões de rosa osculados pela trepidez do Sol. A pobreza, no lar, confiantemente aceita e vivida com alegria, era agora a fortuna que se manifestava como abundância interior de paz e nenhuma saudade dos valores que enferrujam e perdem-se. O filho querido, que viajara antes de mim, deixando-nos, à sua mãe e a mim, nos panos sombrios da saudade resignada, agora, de braços abertos, aguardava-me, para dizer-me entre lágrimas de emoção: "Seja bem-vindo, papai, de retorno a casa".

É verdade que o Reino de Deus começa no coração de cada um e que o império da justiça tem leis soberanas com medidas muito diferentes da legislação ainda equivocada dos homens.

Hoje, com a família reconstituída, olhamos os três para o futuro – esposa, filho e eu –, bendizendo a fé que nos enriqueceu de esperança e se manifestou na luz da caridade para com o próximo e, consequentemente, para nós mesmos.

Somente compreendendo o significado profundo da vida, as razões do Espírito, é que ela tem sentido e conteúdo.

Enquanto o homem não se resolver por despojar-se dos atavios, aprendendo a valorizar o que realmente é de importância em detrimento das distrações e dos equívocos, não aprenderá a significação real da existência, vivendo as oscilações da amargura, do riso e das expectativas que se esboroam como névoa.

Certamente, não pretendo sugerir que se viva na Terra o reino da tristeza e do desconforto. Pelo contrário, é desejável que a alegria estue no coração e que as concessões da Ciência e do conhecimento sejam bem utilizadas. O que pretendemos referir é a escola de valores legítimos em que os usos, os costumes e as coisas signifiquem mordomias que passam, objetivando as realidades que permanecem.

Transitei entre os homens no semianonimato da pobreza, no trabalho modesto, iluminado pela estrela polar da revelação dos Espíritos e aqui estou rendendo graças a Deus pelas Suas bênçãos.

Antônio Tourinho

Nota do compilador:
O irmão Antônio Tourinho e família militaram em nossa Casa, humildes e dedicados, até a desencarnação.

7

Mediunidade espírita

A mediunidade é faculdade do Espírito, que imprime no corpo os recursos indispensáveis para a finalidade a que se destina.

Pelos fios tenuíssimos do perispírito, transitam do corpo à alma, e desta à matéria, as impressões que procedem do plano físico ou que promanam da Erraticidade.

Eis por que a mediunidade é um conjunto de manifestações de ordem íntima, exigindo do sensitivo uma conduta interior equilibrada para melhor desenvolver essa aptidão, que revela o outro lado da cortina carnal onde a vida estua, mundo causal onde tudo se origina e mundo final para onde todos retornam.

Todo indivíduo que disponha de certa predisposição orgânica para o registro de fenômeno fora da órbita sensorial é um médium. Considerando-se, no entanto, que essa aptidão, desenvolvida pelo exercício e pela reflexão, pelo estudo e pelo comportamento, atinge graus de aprimoramento como sói acontecer com os processos equivalentes da inteligência e da memória, da conduta e da atividade profissional, é um grave compromisso.

A mediunidade, conduzida pelo esclarecimento da Doutrina Espírita, é um portal de luz no qual o serviço da edificação íntima assume papel preponderante na vida do instrumento, que passa a ser visitado por amigos e benfeitores do passado e por promotores do bem com os olhos postos no futuro.

Os médiuns naturais apresentam, numa etapa reencarnatória, o resultado de um largo exercício na experiência anterior, na qual o Espírito desenvolveu essa rara aptidão, da mesma forma que o artista de hoje aprimora as conquistas que foram iniciadas na etapa imediatamente anterior e que agora ressurgem como tendências no campo da beleza, como noutras áreas, convidando-o a atingir o esplendor da própria realização.

Assim, há médiuns e *médiuns*.

Aqueles que encontram no instrumento da evolução o meio de progredir, esparzindo em volta as benesses da consolação, que por seu intermédio fluem, ao mesmo tempo coletam os dons da paz de que se fazem instrumento no exercício da faculdade positiva. Outros, entretanto, por esta ou aquela razão da leviandade ou do comodismo, da irresponsabilidade ou da insensatez, à semelhança de pequeno barco a soçobrar nas águas encapeladas do oceano, estão oscilando entre os momentos de equilíbrio fugaz e os demorados tormentos da obsessão simples, que ao largo do tempo se transforma em subjugações lamentáveis ou desequilíbrios de profundidade.

A mediunidade não torna isentos os seus instrumentos das provações que lhe são pertinentes: pelo contrário, ela é um expurgador que lhes oferece a oportunidade de imediato resgate na dor e, simultaneamente, por meio da ação profícua do bem que lhe cumpre desenvolver. Caso fosse diferente, deixaria de ter uma finalidade superior para tornar-se um imerecido título de benemerência, dividindo os homens entre aquinhoados por favores fortuitos injustificáveis e esquecidos por negligência divina.

A mediunidade desempenhou, na História, preponderante papel na evolução dos povos. Seja por meio daqueles que se levantaram para conduzir as massas ou daqueloutros que, no anonimato, edificaram o bem, guiados pelos seus anjos tutelares da retaguarda espiritual ou por outros ainda que se vincularam aos verdugos da Humanidade, que se acreditavam como o braço da Providência para punir, para disciplinar e para reajustar infratores, de alguma forma tombando na "Lei de talião" pelo desrespeito à Lei do Amor.

Estas considerações que faço, é para agradecer a Deus a oportunidade que experimentei na Terra, vivenciando a mediunidade espírita nos dias heroicos da divulgação da doutrina nesta cidade.

O Senhor chamou-me ao exercício da faculdade no campo da ação curadora, por meio do receituário ditado pelos benfeitores espirituais, da água magnetizada pela intervenção dos bondosos guias e do passe restaurador das energias escassas. Educando a percepção psicofônica, entreguei-me com toda unção a esse mister, e, de mente tranquila, doei-me aos amigos maiores, que se utilizaram dos parcos recursos de que me sentia investido, para divulgar a Doutrina da Imortalidade, trazendo, do silêncio do mausoléu, aqueles que haviam vadeado o rio da desencarnação, mas continuavam a viver.

Compreendendo, de cedo, que o exercício da mediunidade oferece à alma as alegrias íntimas do dever cumprido e não o aplauso transitório e enganoso que reveste as personalidades em triunfo do mundo, agasalhei o anonimato quanto possível, convivendo com os sofredores do caminho que, em verdade, mais necessitavam das consolações. Não me refiro, aqui, apenas aos que tinham dificuldades econômicas, senão também aos que viviam sobrecarregados de problemas morais, não diferindo uns dos outros, porque na mesma linha de padecimentos, mas evitei o aplauso retumbante, o reconhecimento generalizado e, muitas vezes, quando a mão generosa da gratidão desejou macular a pulcritude do serviço mediúnico, tive a coragem de recusar a oferta comprometedora, a fim de transferir para a vida verdadeira as alegrias que se reservam aos que sabem cumprir com o seu dever na linha reta da humildade e da discrição.

A mediunidade proporcionou-me momentos de ventura ímpar quando vi olhos que choravam enxugarem-se, Espíritos turbados encontrarem a lucidez, pessoas aturdidas reanimarem-se, indivíduos em desassossego acalmarem-se, enfermos recobrarem a saúde, porém, acima de tudo, quando a consciência luarizada pela paz dizia-me baixinho: "Vai adiante, confiante no Modelo que elegeste, que teve como momento culminante o alto de uma cruz."

Conheci a emoção de amigos devotados e de confrades queridos que, por meio do investimento que a Divindade me facultou, encontraram a certeza da sobrevivência da alma, daí saindo a levar a esperança aos que jaziam na cegueira do materialismo, oferecendo coragem aos que tombaram no despenhadeiro do desânimo, e fé aos que haviam apagado a luz da esperança graças às decepções repetidas.

Foi, todavia, no silêncio íntimo, nas horas de solilóquio e de prece, que a mediunidade me propiciou a fortuna inesgotável da realização pessoal, ensejando-me sentir que o médium, entre as vibrações diferentes do mundo corporal e do Mundo espiritual, torna-se o que faz da sua instrumentalidade, podendo tombar na faixa das sensações físicas, na qual enlouquece, ou inclinar-se para a realidade das emoções espirituais em que se agiganta e se sublima.

Deu-me a faculdade mediúnica amigos que se alongaram pela estrada quilometrada do futuro, em cada estágio encontrando aqueles desencarnados que receberam consolação na psicofonia atormentada e aqueles que consolaram pela incorporação iluminada.

Ao retornar à casa paterna, de onde partira para a reencarnação na mediunidade, o gozo com a família, que me encontrava ditosa, fez que permanecesse meu Espírito vinculado aos médiuns que amam ao dever, que se entregam, sem presunção e com espírito de total reconhecimento ao ministério, para dizer-lhes, nos momentos dos testemunhos e nas horas das aflições, que tenham bom ânimo, à semelhança do Modelo não igualado.

O médium é um mensageiro que não se pode permitir o luxo da paz antes de terminada a tarefa.

Quando a mediunidade se encontra barateada por interesses mesquinhos e inconfessáveis, entre as almas desassisadas, não é demais dirigir-me aos companheiros que acreditam na renovação do mundo por meio da própria renovação, que é muito melhor experimentar o cutelo da incompreensão e da malquerença do que erguer a coroa do triunfador de mentira, cuja memória se apaga no pó da consumpção material.

Aos médiuns espíritas, que haurem, na Doutrina de libertação, o conhecimento e a força para a vitória, cabe uma tarefa de alta importância, embora ainda desconsiderada, no contexto da sociedade, que é abrir as portas do futuro apresentando os fatos do passado como alicerces para a edificação do porvir.

Quando as dores, muitas vezes, cercavam-me com recomendação para o desânimo ou para a desistência, a intuição me conduzia a abrir as aurifulgentes páginas de *O Evangelho segundo o Espirtismo*, de Allan Kardec, que umedecia com lágrimas, lendo as instruções dos benfeitores da Humanidade ali exaradas, atualizando, em linguagem clara e firme, a revelação cristã como normativa única para a felicidade.

Não havendo tido ou fruído a honra de peregrinar pelas academias nem de iluminar a inteligência pelo conhecimento, fui aquinhoado com a divina concessão de sublimar o sentimento no exercício da caridade, no contato com o sofrimento do próximo e na iluminação pela fé racional, na certeza de que aquilo que me faltasse, o Senhor, mais tarde, haveria de suprir.

Hoje, evocando as noites longas dos exercícios mediúnicos, no ministério da caridade cristã, agradeço a Deus e conclamo os que foram aquinhoados por essa peregrina faculdade da alma, que se expressa pelas aptidões orgânicas, a que se elevem, por meio de cujo esforço todos nós, da Humanidade, nos elevaremos com ele.

Aqui estive, meus amigos, entre os anos 20 e 30 do século passado, trabalhando em pequena oficina na Baixa dos Sapateiros e participando dos momentos heroicos da nossa fé, na companhia honrosa do coronel Ricardo Machado, do farmacêutico Abílio da Silva Lima, do confrade Mercês dos Santos, do economista Veriano Raul Pedrão, do professor Ananias Rabelo, do comerciante Ângelo Fernandes de Santa Ritta, que eram os trabalhadores da antiga União Espírita Baiana, a Casa elegida para pontificar e preservar o ideal de Allan Kardec nas terras cristãs da cidade do Salvador.

Severo dos Anjos

8

Fé renovada

A resignação diante do sofrimento e das vicissitudes é, por si mesma, uma virtude que cada um deve incorporar ao seu dia a dia. Resignação que é o resultado da confiança em Deus e da coragem de que se deve revestir cada um para lutar contra os fatores dissolventes impeditivos do seu processo evolutivo.

A resignação é um ato de valor perante a vida que não se entibia quando recrudescem os testemunhos, nem diminui porque estes se fazem demorados. Não coloca sobre a face a máscara da tristeza, mas deixa transparecer a robustez de ânimo numa expressão de tranquilidade, embora os problemas permaneçam desafiadores. A resignação responde pela coragem dos mártires, pela pureza dos santos, pela vitória dos heróis que souberam, nos momentos mais graves, investir a esperança de melhores dias ante a certeza da destinação gloriosa que Deus reserva para todas as suas criaturas.

Digo isto porque, mulher anônima, tive, na resignação do infortúnio oculto, o bastão de apoio e a luz que me levou à compreensão das altas finalidades do sofrimento.

Nascendo em lar modesto, sem os recursos que promovem o homem na sociedade em que se movimenta, encontrei, desde cedo, no trabalho humilde e dignificante, a força para oferecer-me resistência para as lutas que me aguardavam no futuro. Casando-me jovem, com apenas dezesseis anos, logo experimentei o naufragar dos sonhos de menina-moça, ao lado de um companheiro mais velho quinze anos, de comportamento arbitrário, e de caráter doentio. Amigo dos aperitivos, tombaria mais tarde no alcoolismo irrefreável.

No meu íntimo, uma secreta intuição falava-me da necessidade de porfiar ante as provações redentoras que mal se iniciavam.

Deste consórcio nasceram oito filhos que se vestiram de pobreza e de sofrimentos. Um mongoloide, um idiota, dois tuberculosos na infância, que seriam arrebatados antes dos dez anos, e os outros quatro, que cresceriam e, apesar de todos os sacrifícios investidos, no exemplo do pai atormentado encontrariam respaldo para os próprios desatinos.

A mãe de família que se crucifica na fidelidade ao lar, abraçando as limitações da inteligência e sob as pressões do trabalho incessante, mesmo passando anônima, na Terra, escreve o seu "nome no livro do Reino dos Céus", o que, certamente, não foi o meu caso; mas refiro-me a essas mulheres extraordinárias que se santificaram mediante o holocausto da própria vida, cocriadoras que são, na *Obra do Pai*, ajudando os Espíritos endividados a se libertarem das fixações em que padeciam por longos decênios nas regiões inferiores, e que, graças ao sacrifício delas, puderam recuperar o corpo carnal e diminuir a densidade dos seus erros.

A verdade é que, no sacrifício da família, foi-me possível caldear as imperfeições no crisol da paciência e da resignação, logrando viver quase cinquenta anos, entre humilhações e dores extenuantes que se encarregariam de abreviar o tempo da existência planetária.

A oração, com as palavras simples da fé que me aquinhoava a alma, e a entrega total ao Pai de todos nós, foram as forças que me auxiliaram a chegar ao termo da experiência física, sem qualquer ideia de deserção ou qualquer pensamento de destruição da vida em mim ou naqueles que dependiam da minha vigilância e das noites insones, entre os esgares da loucura e das suas limitações.

O companheiro me precedeu, vitimado pela própria alucinação, em um pugilato que provocou, havendo sido assassinado. Os quatro filhos de aparência sadia, não obstante o carinho que os cercava, seguiram estradas diferentes e equívocas, ficando eu com os dois enfermos no mongolismo e na idiotia em que se santificaram, antecedendo-me, por sua vez, na viagem de volta.

Aqui aportei, é certo, cansada das refregas da luta, mas não desiludida do coração.

Ao despertar, amigos queridos que afiançaram a minha viagem à Terra receberam-me com carinho, abençoando o estoicismo que o Senhor me propiciara e dando-me oportunidade de rever os filhinhos, agora cicatrizados nas feridas da alma, sem as lesões limitadoras que vestiram durante as expiações.

Os quatro me aguardavam em festa, abençoando o nosso lar humilde.

Dei-me conta, então, de que o programa daquele sofrimento não se tratara de uma punição, mas, de um resgate bendito, graças ao exorbitar das minhas atitudes na vida pregressa, quando, utilizando-me da inteligência e do poder, malbaratara os dons da saúde e os valores da fortuna.

Os quatro filhinhos compactuaram comigo na condição de irmãos arbitrários, no dilapidar de um patrimônio que o nosso pai nos legara. O marido enfermo e alcoólatra havia sido colaborador da nossa desdita, que nos levara a atitudes muito graves, terminando por ser vítima nossa, em uma bem-urdida trama de extermínio da sua vida. E os quatro filhos que lhe seguiram o exemplo, também se lhe vinculavam por compromissos anteriores, encontrando-se, ainda hoje, na Terra, no processo expurgador das suas próprias necessidades.

Espírito consciente, agora que o sou, podendo penetrar em alguns arcanos das existências anteriores, bendigo a Deus a resignação com que fui aquinhoada, para bem resistir aos testemunhos de que tinha necessidade para saldar os meus compromissos negativos e poder amar a coroa de espinhos posta na cabeça, os cravos que me prendiam ao madeiro do sacrifício e todas as dores que me chagavam como oportunidades de redenção.

Tenho visitado o esposo necessitado em regiões inferiores, preparando o retorno dele através de um dos filhos, para que assim recomece sob condição melhor, após o drama lancinante em que se viu envolvido...

Todos os acontecimentos da nossa vida, na investidura carnal, têm suas atenuantes e agravantes no amor de nosso Pai, porém são todos procedentes dos nossos atos anteriores que, por mercê da justiça de misericórdia, podemos reparar, graças à reencarnação.

Se, todavia, colocarmos em nossas horas a resignação pelo amor, em forma de confiança em Deus e de coragem para a luta, esta virtude pouco vivenciada nos dará a palma da vitória no trono da realização triunfante.

Graças a Deus, sou feliz!

Minervina de Azevedo Moura

9

O FUTURO DO ESPIRITISMO

Desencantado com o espiritualismo bruxuleante das ortodoxias religiosas do passado, percorri as avenidas do materialismo histórico e filosófico, sem encontrar apoio para as inquietações da minha mente indagadora que, embora sorvendo, em grandes haustos, o oxigênio da cultura do século XIX e das investigações do começo do século XX, não me conseguiam atender a busca de paz.

Aturdido, no labirinto das escolas filosóficas que se digladiam, e estertorando nas várias correntes materialistas que buscam disputar cidadania intelectual, dei-me conta da vacuidade da vida e da sua inutilidade cultural, caso tivessem razão os negadores e os diletantes do niilismo.

Foi quando tive a ventura de ser chamado para as investigações da Metapsíquica, que se apresentavam nesta cidade do Salvador, em cujo corpo de laboratório pude constatar que a vida não resulta de uma paixão celular temporária, não sendo o homem apenas a argamassa feita de moléculas que se desintegram, mas uma realidade de dimensão dantes por mim ainda não detectada.

Das conclusões metapsíquicas, travei contato com a *Revelação espírita* e não posso sopitar o lirismo de dizer que inebriei a alma sôfrega e ansiosa na água lustral de uma ciência toda trabalhada na investigação da razão e na linguagem articulada dos fatos de laboratório capazes de suportar qualquer cepticismo.

As colocações filosóficas de Allan Kardec, inspiradas no mais profundo espiritualismo dos séculos e refundidas pela experiência vivencial dos fatos demonstrados, ofereceram-me respostas para os intrincados problemas da vida em si mesma e para as interrogações lancinantes em torno do sofrimento do ser, dos destinos e da própria realidade da morte. Penetrei-me do espírito de investigador e, no organismo da mediunidade, encontrei as demonstrações da sobrevivência do ser, como da reencarnação, iniludíveis, resistentes a toda e qualquer negação por melhor trabalhada no sofisma ou no silogismo hipotético acadêmico, na indiferença ou no sistemático combate do materialismo ancestral.

Mas, ainda não dessedentara totalmente os sentimentos, quando me deparei com a refulgência dos conceitos cristãos arrancados das velhas e decadentes teologias, na apresentação profunda e consciente de Allan Kardec, o perfeito interrogador dos Espíritos, que se lhe submetiam docemente, já que ele fazia parte da galeria dos benfeitores da Humanidade, momentaneamente mergulhado nas roupagens carnais. Entesourei, então, as respostas fulgurantes para os perturbadores quesitos do comportamento humano e, cada dia mais, capacitei-me da certeza de que o Espiritismo é a grande luz a fulgir na treva dos preconceitos humanos, restabelecendo os quinhões de verdade espalhados pelo mundo e dando-lhe a inteireza que permitirá um dia à

Humanidade vislumbrar o todo harmônico da Consciência Divina, numa visão cosmológica do próprio Criador.

Identifiquei a destinação histórica da criatura na busca do seu fanal, colocada como cocriadora junto à Divindade, mesmo que sem dar-se conta, transformando a aspereza do seu mecanismo evolucionista no dia a dia das suas aquisições pela dor, pela experiência das aprendizagens ou pelas conquistas valorosas do amor, nos mecanismos da renúncia e da abnegação.

Conscientizei-me da finalidade do Espiritismo como "resposta de Deus aos homens", no momento grave da perturbação histórica e da dilaceração da ética sob as injunções tenebrosas das alucinações guerreiras e das vacuidades intelectivas do homem que, na vida, somente encontra um fatalismo biológico sem finalidade espiritual.

O Espiritismo, projetando a luz criacionista nos meandros do evolucionismo, ofereceu a parte que faltava para a elaboração da teoria perfeita do aparecimento da vida na Terra, mediante uma causa consciente que edificou um mundo programado e uma criatura inteligente que avança na busca de um determinismo libertador e de uma plenitude que alcançará no Reino além da forma física.

Hoje, no Mundo espiritual, após a labuta vivida no Movimento Espírita, por anos a fio, no estudo da doutrina e na sua vivência pública e particular, na experiência das sessões práticas, nas quais hauria consolação e tirocínio para os empreendimentos humanos e espirituais, observo a marcha dos acontecimentos que tomam vulto e assustam, e afirmo quanto é lamentável o desconhecimento do Espiritismo pelos homens e a falta que faz a sua consciente, clara e lógica divulgação, por meio dos fabulosos veículos da informática moderna, ao alcance de todos, e, sobretudo, do apostolado cristão dos que lhe adentram as Casas Espíritas, ainda aturdidos pelo vaivém, pelo ziguezague dos interesses imediatistas, procurando soluções para os problemas de pequena monta em detrimento do problema fundamental que é a paz permanente...

Não obstante, reconheço que o Espiritismo vem desempenhando um papel de relevante importância no contexto histórico desta realidade e será, a médio ou longo prazo, a Doutrina científica e filosófica, a Religião da razão e da moral, capaz de fomentar no homem a dignidade e o culto ao dever, libertando-o, de uma por todas as vezes, do primitivismo que nele vige e que o tenta subjugar, já que não pode fugir a este determinismo que é o da felicidade pelo caminho do progresso que o Senhor da Vida lhe estabelece.

Considerando o momento grave que se abate sobre as mentes e os corações, sobre todas as criaturas na Terra de hoje, a advertência do Espírito de Verdade, inserta em *O Evangelho segundo o Espiritismo*, tem urgência de ser vivida, convidando-nos a que nos instruamos e amemos, a fim de podermos partir na construção do homem novo e na divulgação correta do Cristianismo por meio da visão espírita que abate a feição negativa que lhe impingiram os homens através destes dois milênios, desfigurando a realidade da filosofia e da moral do Mestre Galileu.

Avante, obreiros da fé renovada, trabalhadores da última hora que, não obstante fazerdes jus ao salário proposto, ide sem temor, com o Cristo insculpido nos vossos sentimentos e Allan Kardec trabalhando as vossas mentes para a vitória do bem contra o mal que reside nos próprios homens, teimosamente ceifando vidas e esperanças!

Auguramo-vos todo o êxito no empreendimento da vivência do Cristianismo restaurado pelo Espiritismo, mesmo que dilacerados, sofridos, mas não vencidos!

Abílio da Silva Lima

Nota do compilador:
O farmacêutico Abílio da Silva Lima foi presidente da União Espírita Baiana (atual Federação Espírita do Estado da Bahia), no período de 23.01.1944 a 30.01.1952, contemporâneo de José Petitinga, Manoel Philomeno de Miranda e outros excelentes obreiros da "primeira hora". Esteve como presidente da Assembleia Geral da veneranda Sociedade entre 1952 e 1962, tendo desencarnado em 25.12.1962.

10

Misericórdia e reencarnação

Considero que a misericórdia é a alma do amor. Graças a este amor de misericórdia é que muitos de nós, como no meu caso específico, podemos crescer na direção da luz.

Por misericórdia, o amor nos conduz à reencarnação, ensejando-nos a aquisição do patrimônio moral libertador.

São poucos, dentre aqueles que mergulham no corpo carnal, que volvem à pátria trazendo os resultados positivos que seriam de esperar. A maioria apresenta-se assinalada pelas defecções, delitos e compromissos negativos, a que se ataram por irresponsabilidade e precipitação.

Apesar disso, a misericórdia do amor propõe-lhes nova ensancha, oferecendo a expiação como presídio educativo, no qual vêm carpir e resgatar, adquirindo experiências pelos reflexos condicionados do Espírito para a aptidão do bem.

Tal foi o meu caso.

Reencarnei-me, nas terras do Brasil, depois de experiências amargas no ultramar português.

Vivendo as condições da vileza moral, explorei o próximo, retirando de muitas vidas o suor e a paz com que nutria os meus caprichos de mulher impertinente e desequilibrada.

Fruí a misericórdia do recomeço, como filha de escrava, ao se apagarem as manchas do escravagismo nas *Terras do Cruzeiro*. Embora a liberdade concedida ao negro, não me podia furtar à condição que se me apresentava humilhante, graças aos atavismos do orgulho em mim impressos como chagas morais purulentas. Conheci de perto a pobreza, o abandono aparente, as enfermidades. A obsessão caracterizou-me largo período da existência, na qual as minhas vítimas enlouquecidas intentavam justiçar-me, na fúria das suas desesperações. Órfã, desde cedo transitei de desabrigo a desabrigo, sem encontrar a bondade no coração humano que eu não soubera conquistar antes, nem piedade fraternal que não conseguia inspirar. Foi quando mãos generosas, conduzidas pelo Espiritismo, me alcançaram o corpo fatigado e a mente aturdida, penetrando-me com fluidos salutares e restauradores do meu equilíbrio.

Conheci também, de perto, a partir daí, as bênçãos da caridade fraternal, as luzes da beneficência e a grandeza da abnegação que me favoreceram com os recursos da recuperação da lucidez, ensinando-me solidariedade e amor.

Passei a frequentar modesta Célula do Espiritismo, no Rio de Janeiro, onde aprendi os conceitos de libertação, que o reencarnacionismo proporciona aos seus estudantes e adquiri a certeza da sobrevivência do Espírito ao corpo putrefato, armando-me de valor para enfrentar as vicissitudes do caminho.

A claridade do Evangelho explicado pelo Espiritismo fulgurou em minha alma como uma Via Láctea resplandecente, e nunca mais a treva da dúvida ou a dubiedade da incerteza encontraram agasalho no meu discernimento de mulher ignorante.

Analfabeta, impossibilitada de ler, aprendi a afagar esse livro luminoso, enquanto pessoas generosas, vez que outra, liam para mim as páginas que eu fixava com avidez na mente aberta.

Foi quando eu compreendi que, na minha imensa estupidez e precariedade, havia também tesouros de que não me dera conta e que podia utilizar a benefício próprio.

O amor que se expande é claridade que vence trevas.

O sentimento de solidariedade que se espraia, torna-se rio de esperança para quem enfrenta o futuro.

O amor em mim, então nascente, podia dar-se, mediante a intercessão da prece, o pensamento fraternal, os pequenos serviços desdenhados, as tarefas supostamente desprezíveis...

Lentamente aprendi a arte de servir por amor e por gratidão.

Numa circunstância inesperada, ante um enfermo, na via pública, atormentado e exaurido, recordei-me do toque curador de Jesus e lhe impus as mãos, suplicando a misericórdia.

A partir daí, passei a cooperar no ministério do passe junto àqueles menos favorecidos, que ficavam à margem, sem melhores oportunidades de receber auxílio.

Os benfeitores da Vida maior não me regatearam concessões em nome do Doador Divino, permitindo que as energias salutares fluíssem de Mais-alto, alcançando aqueles que buscavam apoio.

Os anos se passaram em febris realizações da fraternidade socorrista, até quando a morte me recebeu, septuagenária, há pouco menos de vinte anos, trazendo-me de volta à *Pátria* para o balanço geral das atividades terrenas.

Vim a saber, aqui volvendo, que muitos daqueles a quem socorrera, na mendicância, nas tábuas do abandono humano, haviam sido minhas vítimas, ora em recuperação, e que a misericórdia de Deus me proporcionara auxiliar. Outros que me crivaram de angústias e de martírios, também se me vinculavam pelos mesmos impositivos redentores. E, na Terra de hoje, em emergências dolorosas, ainda revejo almas a quem enfermei pela indiferença e pela soberba e a quem me imponho o dever de inspirar, socorrendo.

A felicidade, no entanto, que me inunda graças à recuperação das minhas faculdades de lucidez, decorrentes de experiências mais ditosas de outras vidas, é tão grande, que só mesmo este amor de misericórdia que é o Pai, na representação de Jesus, pode conceder.

Entre os transitórios dominadores do mundo, passam apagados afetos e desafetos do nosso caminho, que a fé deve descobrir para amparar e promover.

Cuidemos de nos não empolgar com as quinquilharias a que damos valor e os brilhos de fogos-fátuos que rápido se apagam, olhando para baixo, para aqueles que caminham sob as vergastadas da recuperação, nossos irmãos do carreiro da aflição, necessitados do nosso amor.

A verdadeira felicidade resulta da misericórdia com que espalhamos os nossos sentimentos de bondade e amor entre os que ainda se debatem na desdita e na agonia, por ignorância do *bem e da Verdade.*

Nunca desdenhemos, seja quem for, pela sua condição social, religiosa, racial ou econômica, tido como desprezível. Antes, a esse traumatizado e sofrido coração, distendamos as mãos de cristãos decididos, com o mesmo sentimento de amor e de misericórdia com que Deus nos permite os recomeços.

Angelina de Assunção dos Santos

Este livro foi impresso na
LIS GRÁFICA E EDITORA LTDA.
Rua Felício Antônio Alves, 370 – Bonsucesso
CEP 07175-450 – Guarulhos – SP
Fone: (11) 3382-0777 – Fax: (11) 3382-0778
lisgrafica@lisgrafica.com.br – www.lisgrafica.com.br